SOUNDJATA
OU L'ÉPOPÉE MANDINGUE

DJIBRIL TAMSIR NIANE

SOUNDJATA
OU
L'ÉPOPÉE MANDINGUE

PRÉSENCE AFRICAINE
25 bis, rue des Écoles — 75005 PARIS
64, rue Carnot - DAKAR

ISBN 2-7087-0078-2

AVANT-PROPOS

Ce livre est plutôt l'œuvre d'un obscur griot du village de Djeliba Koro dans la circonscription de Siguiri en Guinée. Je lui dois tout. Ma connaissance du pays malinké m'a permis d'apprécier hautement la science et le talent des griots traditionalistes du Mandingue en matière d'Histoire.

Il faut cependant, dès maintenant, lever une équivoque. Aujourd'hui, dès qu'on parle de griots, on pense à cette « caste de musiciens professionnels » faite pour vivre sur le dos des autres ; dès qu'on dit griot, on pense à ces nombreux guitaristes qui peuplent nos villes et vont vendre leur « musique » dans les studios d'enregistrement de Dakar ou d'Abidjan.

Si, aujourd'hui, le griot est réduit à tirer parti de son art musical ou même à travailler de ses mains pour vivre, il n'en a pas toujours été ainsi dans l'Afrique antique. Autrefois les griots étaient les Conseillers des rois, ils détenaient les Constitutions des royaumes par le seul travail de la mémoire ; chaque famille princière avait son griot préposé à la conservation de la tradition ; c'est parmi les griots que les rois choisissaient les précepteurs des jeunes princes. Dans la société africaine bien hiérarchisée d'avant la colonisation, où chacun trouvait sa place, le griot nous apparaît comme l'un des membres les plus importants de cette société car c'est lui qui, à défaut d'archives, détenait les coutumes, les traditions et les principes de gouvernement des rois. Les bouleversements sociaux dus à la conquête font qu'aujourd'hui les griots doivent vivre autrement : aussi tirent-ils profit de ce qui jusque-là avait été leur fief, l'art de la parole et la musique.

Cependant on peut encore trouver le griot presque dans son cadre ancien, loin de la ville, dans les vieux villages du Manding tels que Ka'ba (Kangaba), Djeliba-Koro, Krina, etc., qui se vantent de perpétuer encore les coutumes du temps des Ancêtres. En général dans chaque village du Vieux Manding il y a une famille de griot traditionaliste qui détient la tradition historique et l'enseigne ; plus généralement on trouve un village de traditionalistes par province, ainsi : Fadama pour le Hamana (Kouroussa, Guinée), Djééla (Droma, Siguiri), Keyla (Soudan), etc.

L'Occident nous a malheureusement appris à mépriser les sources orales en matière d'Histoire ; tout ce qui n'est pas écrit noir sur blanc étant considéré comme sans fondement. Aussi même parmi les intellectuels africains il s'en trouve d'assez bornés pour regarder avec dédain les documents « parlants » que sont les griots et pour croire que nous ne savons rien ou presque rien de notre passé, faute de documents écrits. Ceux-là prouvent tout simplement qu'ils ne connaissent leur propre pays que d'après les Blancs.

La parole des griots traditionalistes a droit à autre chose que du mépris.

Le griot qui détient la chaire d'Histoire dans un village et qu'on appelle Belën-Tigui est un Monsieur très respectable qui a fait son Tour du Mandingue. Il est allé de village en village pour écouter l'enseignement des grands Maîtres ; pendant de longues années il a appris l'art oratoire de l'histoire ; de plus il est assermenté et n'enseigne que ce que sa « corporation » exige car, disent les griots : « Toute science véritable doit être un secret. » Aussi le traditionaliste est-il maître dans l'art des périphrases, il parle avec des formules archaïques ou bien transpose les faits en légendes amusantes pour le public, mais qui ont un sens secret dont le vulgaire ne se doute guère.

Mes yeux viennent à peine de s'ouvrir à ces mystères de l'Afrique éternelle et dans ma soif de savoir, j'ai dû plus d'une fois sacrifier ma petite prétention d'intellectuel en veston devant les silences des traditions quand mes questions par trop impertinentes voulaient lever un mystère.

Ce livre est donc le fruit d'un premier contact avec les plus authentiques traditionalistes du Mandingue. Je ne suis qu'un traducteur, je dois tout aux Maîtres de Fadama, de Djeliba Koro et de Keyla et plus particulièrement à Djeli Mamadou Kouyaté, du village de Djeliba Koro (Siguiri), en Guinée.

Puisse ce livre ouvrir les yeux à plus d'un Africain, l'inciter à venir s'asseoir humblement près des Anciens et écouter les paroles des griots qui enseignent la Sagesse et l'Histoire.

D. T. N.

LA PAROLE DU GRIOT MAMADOU KOUYATE

Je suis griot. C'est moi Djeli Mamadou Kouyaté, fils de Bintou Kouyaté et de Djeli Kedian Kouyaté, maître dans l'art de parler. Depuis des temps immémoriaux les Kouyaté sont au service des princes Kéita du Manding : nous sommes les sacs à parole, nous sommes les sacs qui renferment des secrets plusieurs fois séculaires. L'Art de parler n'a pas de secret pour nous ; sans nous les noms des rois tomberaient dans l'oubli, nous sommes la mémoire des hommes ; par la parole nous donnons vie aux faits et gestes des rois devant les jeunes générations.

Je tiens ma science de mon père Djeli Kedian qui la tient aussi de son père ; l'Histoire n'a pas de mystère pour nous ; nous enseignons au vulgaire ce que nous voulons bien lui enseigner, c'est nous qui détenons les clefs des douze portes du Manding (1).

Je connais la liste de tous les souverains qui

(1) Selon les traditionalistes, le Manding primitif était constitué de douze provinces. Après les conquêtes de Soundjata le nombre des provinces s'est considérablement accru. Le Manding primitif semble avoir été une confédération des principales tribus malinké : Kéita, Kondé, Traoré, Kamara et Koroma.

se sont succédé au trône du Manding. Je sais comment les hommes noirs se sont divisés en tribus, car mon père m'a légué tout son savoir : je sais pourquoi tel s'appelle Kamara, tel Kéita, tel autre Sidibé ou Traoré ; tout nom a un sens, une signification secrète.

J'ai enseigné à des rois l'Histoire de leurs ancêtres afin que la vie des Anciens leur serve d'exemple, car le monde est vieux, mais l'avenir sort du passé.

Ma parole est pure et dépouillée de tout mensonge ; c'est la parole de mon père ; c'est la parole du père de mon père. Je vous dirai la parole de mon père telle que je l'ai reçue ; les griots de roi ignorent le mensonge. Quand une querelle éclate entre tribus, c'est nous qui tranchons le différend car nous sommes les dépositaires des serments que les Ancêtres ont prêtés.

Écoutez ma parole, vous qui voulez savoir ; par ma bouche vous apprendrez l'Histoire du Manding.

Par ma parole vous saurez l'Histoire de l'Ancêtre du grand Manding, l'Histoire de celui qui, par ses exploits, surpassa Djoul Kara Naïni (2) ; celui qui, depuis l'Est, rayonna sur tous les pays d'Occident.

Écoutez l'Histoire du fils du Buffle, du fils du Lion (3). Je vais vous parler de Maghan Sondja-

---

(2) Il s'agit d'Alexandre le Grand que l'Islam appelle Doul Kar Naïn. Chez tous les traditionalistes des pays malinké, la comparaison revient souvent entre Alexandre et Soundjata. On oppose l'itinéraire ouest-est du premier et l'itinéraire est-ouest du second.

(3) *Buffle*. — Selon la tradition la mère de Soundjata avait pour totem un buffle. Il s'agit du fabuleux buffle

ta, de Mari-Djata, de Sogolon Djata, de Naré Maghan Djata ; l'homme aux noms multiples contre qui les sortilèges n'ont rien pu.

qui ravageait, dit-on, le pays de Do (Voir p. 23).
Le Lion est le totem-ancêtre des Kéita.
Ainsi, par son père, Soundjata est fils du Lion, par sa mère fils du Buffle.

LES PREMIERS ROIS DU MANDING

Écoutez donc, fils du Manding, enfants du peuple noir, écoutez ma parole, je vais vous entretenir de Soundjata, le père du Clair-Pays, du pays de la savane, l'ancêtre de ceux qui tendent les arcs, le maître de cent rois vaincus.

Je vais parler de Soundjata, Manding-Diara, lion du Manding, Sogolon Djata, fils de Sogolon, Nare Maghan Djata, fils de Nare Maghan, Sogo Sogo Simbon Salaba, héros aux noms multiples.

Je vais vous parler de Soundjata, celui dont les exploits étonneront longtemps encore les hommes. Il fut grand parmi les rois, il fut incomparable parmi les hommes ; il fut aimé de Dieu car il était le dernier des grands conquérants.

Tout au début donc le Manding était une province des rois Bambara ; ceux qu'on appelle aujourd'hui Maninka (1), habitants du Manding,

(1) (*Maninka-Malli*). — Les habitants du Manding s'appellent Maninka ou Mandinka ; Mali et Malinké est la déformation peulh de Manding et de Mandinka. Mali en malinké désigne l'hippopotame, il n'est pas exclu que Mali ait été le nom donné à une des capitales des Empereurs. Une tradition enseigne que Soundjata s'est métamorphosé en « Mali » dans le Sankari — aussi n'est-il pas étonnant de trouver des villages dans le vieux Manding,

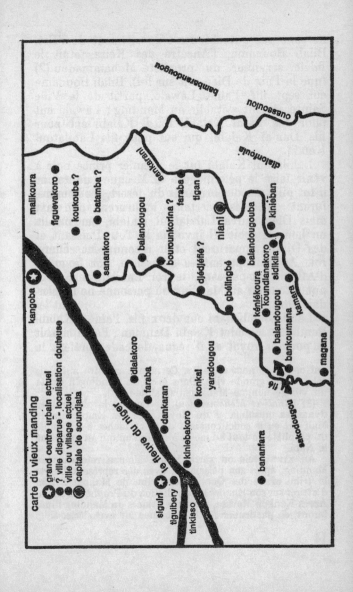

carte du vieux manding

★ grand centre urbain actuel
? ville disparue – localisation douteuse
● ville ou village actuel
◉ capitale de soundjata

ne sont pas autochtones : ils viennent de l'Est. Bilali Bounama, l'Ancêtre des Kéita, était le fidèle serviteur du prophète Mohammadou (2) (que la Paix de Dieu soit sur lui). Bilali Bounama eut sept fils, l'aîné, Lawalo, partit de la Ville Sainte et vint s'établir au Manding ; Lawalo eut pour fils Latal Kalabi, Latal Kalabi eut pour fils Damal Kalabi, qui eut pour fils Lahilatoul Kalabi.

Lahilatoul Kalabi fut le premier prince noir à venir faire le pèlerinage à la Mecque ; au retour il fut pillé par des brigands du désert, ses hommes furent dispersés ; certains moururent de soif ; mais Dieu sauva Lahilatoul Kalabi, car c'était un homme droit. Il invoqua le Tout-Puissant et des Djinns apparurent et le reconnurent comme roi. Après sept années d'absence, par la grâce d'Allah tout-puissant, le roi Lahilatoul Kalabi put retourner au Manding où personne ne l'attendait plus.

Lahilatoul Kalabi eut deux fils, l'aîné : Kalabi Bomba et le cadet Kalabi Dauman ; l'aîné choisit le pouvoir royal et il régna, le cadet préféra la

qui ont pour nom « Mali ». Ce nom a pu être autrefois celui d'une grande ville. Dans le vieux Manding il existe un village nommé Malikoma (Mali-le-neuf).

(2) (*Bilali et Mohammadou*). — Comme la plupart des dynasties musulmanes du Moyen Age, les Empereurs de Mali ont eu le souci constant de se rattacher à la famille du prophète ou tout au moins à quelqu'un qui ait approché le Nabi.

Au xive siècle on verra Mansa Moussa retourner au Manding, après son pèlerinage, avec des représentants de la tribu arabe des Qoréichites (tribu de Mahomet) afin d'attirer sur son Empire la bénédiction du Prophète d'Allah. Après Kankon Moussa, plusieurs princes du Manding l'imiteront, en particulier Askia Mohamed au xvie siècle.

fortune, la richesse et il devint l'ancêtre de ceux qui vont de pays en pays chercher fortune.

Kalabi Bomba eut pour fils Mamadi Kani. Mamadi Kani fut un roi chasseur comme les premiers rois du Manding. C'est Mamadi Kani qui inventa le Sïmbon (3) ou sifflet de chasseur, il entra en communication avec les génies de la forêt et de la brousse ; celles-ci n'avaient pas de secrets pour lui, il fut aimé de Kondolon Ni Sané (4).

(3) *Sïmbon*. — Littéralement le Sïmbon est le sifflet des chasseurs. Mais Sïmbon est aussi un qualificatif honorable qui sert à désigner un grand chasseur. On appelle (Sïmbon-si) la veillée funèbre que les chasseurs d'une région organisent en l'honneur d'un collègue mort.

(4) *Kondolon* est une divinité de la chasse. Elle a pour compagnon inséparable Sané. Ces deux divinités sont toujours liées. On les invoque de pair. Cette double divinité a la faculté d'être partout à la fois, quand elle se révèle à un chasseur celui-ci rencontre souvent le gibier. C'est à cette double divinité qu'incombe la garde de la brousse et de la forêt ; elle est aussi le symbole de l'union et de l'amitié ; on ne doit jamais les invoquer séparément au risque d'encourir des sanctions très sévères. Les deux divinités rivalisent parfois d'adresse, mais ne se brouillent jamais.

Dans le Hamana (Kouroussa) on attribue à Mamadi Kani le serment que le chasseur prête avant d'être reçu Sïmbou. Voici le serment :

1º Voudras-tu satisfaire Sané ni Kondolon avant ton père (c'est-à-dire qu'il faut opter pour le Maître Sïmbon quand on est en présence d'un ordre de celui-ci et d'un ordre du père) ;

2º Sauras-tu que respect ne veut pas dire esclavage et accorder respect et soumission de tous les instants à ton Maître Sïmbon ;

3º Sauras-tu que la cola est bonne, que le tabac est bon, que le miel est doux, etc. et les céder à ton Maître.

Si oui, l'apprenti Chasseur est reçu.

Dans certaines provinces de Siguiri, ce serment est attribué à un certain Allah-Mamadi qui n'a pas été roi.

Ses disciples étaient si nombreux qu'il les constitua en une armée qui devint redoutable ; il les réunissait souvent dans la brousse et leur enseignait l'art de la chasse. C'est lui qui révéla aux chasseurs les feuilles médicinales qui guérissent des blessures et des maladies. Grâce à la force de ses disciples il devint roi d'un vaste pays ; avec eux Mamadi Kani conquit tous les pays qui s'étendent depuis le Saukarani jusqu'au Bouré. Mamadi Kani eut quatre fils : Kani Sīmbon, Kanignogo Sīmbon, Kabala Sīmbon et Sīmbon Bamari Tagnogokelin. Ils furent tous initiés à l'art de la chasse et méritèrent le titre de Sīmbon. C'est la descendance de Bamari Tagnogo Kélin qui garda le pouvoir ; il eut pour fils M'Bali Nènè, qui eut pour fils Bello, qui eut pour fils Bello Bakön qui eut pour fils Maghan Kon Fatta dit Frako Maghan Keigu, Maghan le beau.

Maghan Kon Fatta est le père du grand Soundjata. Maghan Kon Fatta eut trois femmes et six enfants : 3 garçons et 3 filles : Sa première femme s'appelait Sassouma Bérété, fille d'un grand Marabout ; elle fut la mère du roi Dankaran Touman et de la princesse Nana Triban ; la seconde femme, Sogolon Kedjou est la mère de Soundjata et de deux princesses Sogolon Kolonkan et Sogolon Djamarou ; la troisième femme est une Kamara, elle s'appelait Namandjé, elle fut la mère de Manding Gory ou Manding Bakary qui fut le meilleur ami de son frère Soundjata.

LA FEMME-BUFFLE

Maghan Kon Fatta, le père de Soundjata, était réputé pour sa beauté dans tous les pays ; mais c'était aussi un bon roi aimé de tout le peuple Dans sa capitale Nianiba (1) il aimait souvent s'asseoir au pied du grand fromager qui dominait son palais de Canco. Maghan Kon Fatta régnait depuis longtemps, son fils aîné Dankaran Touman avait déjà dix ans et venait souvent s'asseoir sur la peau de bœuf près de son père.

Or donc un jour que le roi comme à son habitude s'était installé sous le fromager entouré de ses familiers, il vit venir vers lui un homme habillé en chasseur : il portait le pantalon serré des favoris de Kondolon ni Sané, sa blouse cousue de cauris indiquait qu'il était maître dans l'art de la Chasse ; toute l'assistance se tourna vers l'inconnu dont

(1) Toutes les traditions reconnaissent que le petit village de Niani a été la première capitale du Manding. C'était la résidence des premiers rois. Soundjata en fit, dit-on, une grande ville. Aussi, l'appelait-on Nianiba (Niani la Grande). C'est aujourd'hui un petit village de quelques centaines d'habitants sur le Sankarani à un kilomètre de la frontière du Soudan.
Dans les chansons à Soundjata la ville porte aussi le nom de Niani-Niani, c'est là une appellation emphatique (Voir mon Diplôme d'Études Supérieures).

17

l'arc poli par l'usage brillait au soleil. L'homme avança jusqu'au devant du roi qu'il reconnut au milieu de ses courtisans. Il s'inclina et dit : « Je te salue roi du Manding, je vous salue tous du Manding ; je suis un chasseur à la poursuite du gibier, je viens du Sangaran ; une biche intrépide m'a guidé jusqu'au mur de Nianiba. Par la Baraka de mon Maître grand Simbon mes flèches l'ont touchée, elle gît non loin de vos murs. Comme cela se doit, Ô roi, je viens t'apporter ta part. » Il sortit un gigot de son sac de cuir ; alors Gnankouman Doua, le griot du roi se saisit du gigot et dit : « Étranger, qui que tu sois tu seras l'hôte du roi car tu es respectueux des coutumes, viens prendre place sur la natte à nos côtés ; le roi est content car il aime les hommes droits. » Le roi approuva de la tête et tous les courtisans approuvèrent. Le griot reprit sur un ton plus familier : « Toi qui viens du Sangaran pays des favoris de Kondolon ni Sané, Toi qui as eu sans doute un maître plein de Science, veux-tu nous ouvrir ton sac de savoir, veux-tu nous instruire par ta parole car sans doute tu as visité plusieurs pays. »

Le roi, toujours muet, approuva de la tête — un courtisan ajouta :

— Les chasseurs du Sangaran sont les meilleurs devins ; si l'Étranger veut, nous pourrons beaucoup apprendre de lui.

Le chasseur vint s'asseoir près de Gnankouman Doua qui lui céda un bout de natte. Il dit :

— Griot du roi, je ne suis pas de ces chasseurs dont la langue est plus habile que le bras ; je ne suis pas un raconteur de bonne aventure, je n'aime pas abuser de la crédulité des braves gens ; mais grâce à la science que mon maître m'a enseignée, je puis me vanter d'être devin parmi les devins.

Il sortit de son « sassa »(2) douze cauris qu'il jeta sur la natte ; le roi et tout son entourage s'étaient tournés vers l'Étranger qui malaxait de sa rude main les douze coquillages luisants. Gnankouman Doua fit discrètement remarquer au roi que le devin était gaucher. La main gauche est la main du mal, mais dans les arts divinatoires on dit que les gauchers sont les meilleurs. Le Chasseur murmurait tout bas des paroles incompréhensibles, sa main tournait et retournait les douze cauris qui prenaient des positions différentes qu'il méditait longuement ; soudain il leva les yeux sur le roi et dit :

— O roi, le monde est plein de mystère, tout est caché, on ne connaît que ce que l'on voit. Le fromager sort d'un grain minuscule, celui qui défie les tempêtes ne pèse dans son germe pas plus qu'un grain de riz ; les royaumes, sont comme les arbres, les uns seront fromagers, les autres resteront nains et le fromager puissant les couvrira de son ombre. Or qui peut reconnaître dans un enfant un futur grand roi ; le grand sort du petit, la vérité et le mensonge ont tété à la même mamelle. Rien n'est certain mais, roi, je vois là-bas venir deux étrangers vers ta ville.

Il se tut et regarda du côté de la porte de la ville pendant un moment. Toute l'assistance, muette, se tourna vers la porte.

Le devin revint à ses cauris.

D'une main habile il les fit jouer dans sa paume et les jeta.

(2) *Sassa.* — C'est le sac du chasseur. Le Sassa est une sorte d'outre : on en distingue plusieurs sortes ; en général les chasseurs ont un petit sassa pour leurs fétiches intimes.

— Roi du Manding, le destin marche à grands pas, le Manding va sortir de la nuit, Nianiba s'illumine, mais quelle est cette lumière qui vient de l'Est ?

— Chasseur, fit Gnankouman Doua, tes paroles sont obscures, rends-nous accessible ton langage, parle la langue claire de ta savane (3).

— J'arrive, griot. Écoutez mon message. Écoute roi.

» Tu as régné sur le royaume que t'ont légué tes ancêtres, tu n'as pas d'autres ambitions que de transmettre ce royaume intact sinon agrandi à tes descendants ; mais Beau Maghan ton héritier n'est pas encore né.

» Je vois venir vers ta ville deux chasseurs ; ils viennent de loin et une femme les accompagne, Oh, cette femme ! Elle est laide, elle est affreuse. Elle porte sur le dos une bosse qui la déforme, ses yeux exorbitants semblent posés sur son visage, mais, ô mystère des mystères, cette femme, roi, tu dois l'épouser car elle sera la mère de celui qui rendra le nom de Manding immortel à jamais, l'enfant sera le septième astre, le Septième Conquérant de la terre, il sera plus puissant que Djoulou Kara Naïni. Mais roi, pour que le destin conduise cette femme jusqu'à toi, un sacrifice est nécessaire : tu immoleras un taureau rouge car le taureau est puissant ; quand son sang imbibera la terre, rien ne s'opposera plus à l'arrivée de ta femme. Voilà, j'ai dit ce que j'avais à dire, mais tout est entre les mains du Tout-Puissant.

(3) La langue claire par excellence c'est le Malinké. Pour les Malinkés leur langue est claire comme leur pays, qu'ils aiment souvent opposer à la forêt, pays sombre.

Le chasseur ramassa ses cauris et les rangea dans son sassa.

— Je ne suis qu'un passant, roi du Manding, je retourne au Sangaran. Adieu.

Le chasseur disparut, mais ni le roi Naré Maghan, ni son griot Gnankouman Doua n'oublièrent les paroles prophétiques ; les devins voient loin, leur parole n'est pas toujours pour l'immédiat ; l'homme est pressé et le temps est long, mais chaque chose a son temps.

Un jour donc, le roi et sa suite étaient encore assis sous le grand fromager de Nianiba, devisant comme d'habitude ; soudain leurs regards furent attirés par des étrangers qui entraient dans la ville. La petite Cour du roi, comme stupéfaite, regardait :

Deux jeunes chasseurs, beaux et de belle allure marchaient, précédés par une jeune fille. Ils se dirigeaient vers la Cour ; les deux hommes portaient à leur épaule des arcs d'argent qui brillaient. Celui qui semblait le plus jeune des deux marchait avec l'assurance d'un Maître Simbon. Quand les étrangers furent à quelques pas du roi, ils s'inclinèrent et le plus âgé parla ainsi :

— Nous saluons le roi Nare Maghan Kon Fatta et son entourage. Nous venons du Pays de Do, mais mon frère et moi sommes du Manding, nous sommes de la Tribu des Traoré. La chasse et l'aventure nous ont conduits jusqu'au lointain pays de Do (4) où règne le roi Do Mansa Gnèmo Diarra. Je m'appelle Oulamba et mon frère

(4) *Do.* — Le pays de Do semble être l'actuel pays de Ségou. La tradition parle de Do comme d'un pays très puissant. Dans les temps modernes Do a été associé au pays de Kiri, aussi dit-on « Do ni kri », c'est le pays des

Oulani. La jeune fille est de Do, nous l'apportons en présent au roi car mon frère et moi l'avons jugée digne d'être la femme d'un roi.

Le roi et son entourage essayaient vainement de dévisager la jeune fille. Elle se tenait agenouillée, la tête baissée, elle avait laissé volontairement son foulard pendre devant son visage. Si la jeune fille arrivait à cacher son visage, elle n'arrivait pas toutefois à camoufler la bosse qui déformait ses épaules et son dos ; elle était laide, d'une laideur robuste, on voyait ses bras musclés et ses seins gonflés poussant fermement le solide pagne de cotonnade noué juste sous l'aisselle ; le roi la considéra un moment et le beau Maghan détourna la tête ; il fixa longuement Gnankouman Doua, puis baissa la tête. Le griot comprit tout l'embarras du Souverain.

— Vous êtes les hôtes du roi. Chasseurs, nous vous souhaitons la paix dans Nianiba, tous les fils du Manding ne font qu'un, mais venez vous asseoir,

10 000 fusils selon la tradition. Voici une poésie qui exalte le pays de Do.

« *Dougou tan konkon*
Mansa Oumalé Kondé
Ardjanna Bolon Massidi
Do ni kri
Marfadou Diara
Do ni kri. »

Traduction :

« *Pays des dix villes*
Où règne Mansa Oumalé Kondé
Parure monumentale du Paradis
Do et Kri
Pays des fusils, Diarra
Do et Kri. »

désaltérez-vous et racontez au roi à la suite de quelle aventure vous êtes partis de Do avec cette jeune fille.

Le roi approuva d'un signe de tête. Les deux frères se regardèrent et sur un signe du plus âgé, le plus jeune s'avança vers le roi, il déposa à terre la calebasse d'eau fraîche qu'un serviteur lui avait apportée.

Le chasseur dit : « Après les grandes moissons (5), mon frère et moi sommes partis du village pour chasser ; c'est ainsi que la poursuite du gibier nous a conduits jusqu'aux approches du pays de Do. Nous rencontrâmes deux chasseurs, l'un était blessé ; nous apprîmes par eux qu'un buffle extraordinaire désolait les campagnes de Do ; chaque jour il faisait des victimes, et après le coucher du soleil personne n'osait plus sortir des villages. Le roi, Do Mansa-Gnèmo Diarra avait promis les plus belles récompenses au chasseur qui tuerait le buffle. Nous décidâmes aussi de tenter la fortune et c'est ainsi que nous pénétrâmes dans le pays de Do ; l'œil vigilant, nous avancions avec précaution, quand au bord d'une rivière nous aperçûmes une vieille femme ; elle pleurait, se lamentait, tenaillée par la faim ; aucun passant n'avait daigné jusque-là s'arrêter auprès d'elle. Elle nous pria au nom du Tout-Puissant de lui donner à manger ; touché par ses pleurs, je m'approchai et tirai de mon sassa

(5) En Haute-Guinée (Manding), les grandes moissons de riz se situent en novembre-décembre. Les jeunes, libérés après ces grands travaux, partent des villages soit pour chercher un peu de fortune, soit pour le simple goût de voyager ; ils rentrent en général peu avant les grandes pluies : mai-juin.

quelques morceaux de viande séchée. Quand elle eut bien mangé elle dit :

— Chasseur, Dieu te rende l'aumône que tu m'as faite.

Nous nous apprêtions à partir quand elle m'arrêta.

— Je sais, dit-elle, que vous allez tenter votre chance contre le buffle de Do, mais sachez que bien d'autres avant vous ont trouvé la mort dans leur témérité, car les flèches sont impuissantes contre le buffle ; mais, ô jeune chasseur, ton cœur est généreux et c'est toi qui seras vainqueur du buffle. Je suis le buffle que tu cherches, ta générosité m'a vaincue ; je suis le buffle qui désole Do, j'ai tué 107 chasseurs, j'en ai blessé 77, chaque jour je tue un habitant de Do, le roi Gnèmo Diarra ne sait plus à quel génie porter ses sacrifices.

Tiens jeune homme, prends cette quenouille, prends l'œuf que voici, va dans la plaine de Ourantamba où je broute les récoltes du roi. Avant de te servir de ton arc, tu me viseras trois fois avec cette quenouille, ensuite tu tireras l'arc, je serai vulnérable à ta flèche, je tomberai, me relèverai, je te poursuivrai dans la plaine sèche, tu jetteras derrière toi l'œuf que voici, un grand bourbier naîtra où je ne pourrai pas avancer, alors tu m'achèveras.

Pour preuve de ta victoire tu couperas la queue du buffle qui est d'or, tu la porteras au roi et tu exigeras la récompense qui t'est due.

Moi j'ai fait mon temps. J'ai puni mon frère le roi de Do qui m'avait privée de ma part d'héritage .»

Fou de joie je me saisis de la quenouille et de

l'œuf, la vieille femme m'arrêta d'un geste et dit :

— Il y a une condition, chasseur.

— Laquelle ? dis-je, impatient.

— Le roi promet la main de la plus belle fille de Do au vainqueur ; quand tout le peuple de Do sera rassemblé et qu'on te dira de choisir celle que tu veux pour femme, tu chercheras dans la foule ; tu trouveras, assise à l'écart sur un mirador, une jeune fille très laide, plus laide que tout ce que tu peux imaginer — c'est elle que tu dois choisir. On l'appelle Sogolon Kedjou ou Sogolon Kondouto car elle est bossue. Tu la choisiras, c'est elle mon double ; elle sera une femme extraordinaire si tu arrives à la posséder. Promets-moi de la choisir, chasseur. »

Je jurai solennellement entre les mains de la vieille femme. Nous reprîmes notre chemin.

La plaine de Ourantamba était à une demi-journée de là, en route nous vîmes des chasseurs qui fuyaient et nous regardaient tout ébahis. Le buffle était à l'autre bout de la plaine ; quand il nous aperçut il fonça sur nous, les cornes menaçantes. Je fis comme avait dit la vieille et je tuai le buffle, je lui coupai la queue et nous rentrâmes dans la ville de Do à la nuit tombante (6), mais

---

(6) Légende des Traoré el Dioubaté. Selon la tradition, c'est à la mort du buffle que la différenciation se fit entre Traoré et Dioubaté. Les deux frères Oulani et Oulamba étaient tous les deux des Traorés ; quand le cadet eut tué le buffle, Oulamba le frère aîné composa sur-le-champ une chanson au vainqueur qui s'écria : « Frère, si tu étais griot, personne ne te résisterait » ce qui se dit en malinké « Koro toun Baké Djéli à *Dian bagaté* » et l'expression Dian-Baga-té est devenue « Diabaté » et par déformation Dioubaté. Ainsi les Dioubaté griot sont frères avec les Traoré.

nous ne nous présentâmes devant le roi que le matin. Le roi fit battre les tambours ; avant le milieu du jour, tous les habitants du pays furent réunis sur la grande place. On avait déposé le corps mutilé du buffle au milieu de la place, la foule délirante l'injuriait tandis que nos noms étaient chantés en mille refrains. Quand le roi parut un silence profond se répandit sur la foule.

— J'ai promis la main de la plus belle fille de Do au valeureux chasseur qui nous débarras-serait du fléau qui nous accablait. Le buffle de Do est mort et voici le chasseur qui l'a tué. Je tiens ma parole. Chasseur, voici toutes les filles de Do, fais ton choix. »

Et la foule approuva par un grand hourrah.

Les filles de Do, portaient toutes ce jour-là leurs habits de fête, l'or brillait dans les cheveux et les poignets fragiles pliaient sous le poids de lourds bracelets d'argent, jamais place ne réunit tant de beauté. Fier, avec mon carquois au dos, je passai crânement devant les belles filles de Do qui me souriaient de leurs dents blanches comme le riz du Manding. Mais je me souvenais des paroles de la vieille femme. Je fis plusieurs fois le tour du grand cercle, j'aperçus enfin à l'écart sur un mi-rador Sogolon Kedjou. Je fendis la foule, je pris Sogolon par la main et l'entraînai au milieu du cercle. La montrant au roi je dis :

— O roi Gnémo Diarra, voici celle que j'ai choisie parmi les jeunes filles de Do, voici celle que je voudrais pour femme.

Le choix était si paradoxal que le roi ne put s'empêcher de rire ; alors ce fut un rire général, les gens se tordaient de rire. On me prit pour un fou et je devins un héros ridicule. « Il faut

être de la Tribu des Traoré pour agir de la sorte »,
disait-on dans la foule, (7) et c'est ainsi que mon
frère et moi quittâmes Do le même jour sous la
raillerie des Kondé.

Le beau Maghan, le roi Naré Maghan voulut
célébrer son mariage avec toutes les formalités
coutumières afin que les droits du fils à naître
ne pussent être contestés par personne. Les deux
chasseurs furent considérés comme parents de
Sogolon et c'est à eux que Gnankouman Doua
porta les noix de kola traditionnelles ; en accord
avec les chasseurs on fixa le mariage au premier
mercredi de la nouvelle lune. Les douze villages
du vieux Manding, tous les peuples alliés furent
mis au courant et à la date choisie des délégations
affluèrent de tous côtés vers Niani, la ville de
Maghan Kon Fatta.

Sogolon avait été logée chez une vieille tante
du roi ; depuis son arrivée à Niani elle n'était
jamais sortie, tout le monde voulait voir la femme
pour qui Nare Maghan faisait un si pompeux
mariage ; on savait qu'elle n'était pas belle, mais
la curiosité était éveillée chez tout le monde ;
déjà mille anecdotes circulaient, la plupart lan-
cées par Sassouma Bérété la première femme du
roi.

Dès l'aube les tambours royaux de Niani annoncèrent la fête ; la ville se réveilla au bruit des tam-
tams qui se répondaient de quartier en quartier,
la voix des griots s'élevait au milieu des foules,
chantant les louanges du roi Nare-Maghan.

(7) *Traoré et Kondé*. — Les gens de Do se moquèrent des
chasseurs qui préférèrent la laide Sogolon aux belles filles ;
depuis, Kondé et Traoré sont devenus « Sanakhou » ou
cousins à plaisanteries.

Chez la vieille tante du roi, la coiffeuse de Niani tressait les cheveux de Sogolon Kedjou. Étendue sur une natte, la tête posée sur les jambes de la coiffeuse, elle pleurait doucement et les sœurs du roi, selon la coutume, venaient la railler.

— Voici ton dernier jour de liberté, désormais tu seras notre femme.

— Fais tes adieux à ta jeunesse, ajoutait une autre.

— Tu n'iras plus danser sur la place et te faire admirer par les garçons ; finie la liberté, ma belle, ajouta une troisième.

Sogolon ne disait mot. De temps en temps la vieille coiffeuse disait :

— Allons, cesse de pleurer, c'est une autre vie qui commence, tu sais, elle est plus belle que tu ne le croies. Tu seras mère et tu connaîtras la joie d'être reine au milieu de tes enfants. Allons, ma fille, n'écoute pas les méchancetés de tes belles-sœurs. » Devant la case les griottes des princesses chantaient le nom de la jeune mariée.

Pendant ce temps la fête battait son plein devant l'enceinte du roi, chaque village était représenté par une troupe de danseurs et de musiciens ; au milieu de la cour les anciens sacrifiaient des bœufs que des serviteurs dépeçaient tandis que de lourds vautours perchés sur le grand fromager suivaient des yeux cette hécatombe.

Assis devant son palais, Nare Maghan écoutait au milieu de ses courtisans la musique grave du « Bolon ». Doua, debout au milieu des notables tenait à la main sa grande lance, il chantait l'hymne des rois du Manding. Partout dans le village on chantait, on dansait ; les membres de la famille royale, comme cela se doit, manifestèrent leur joie par des distributions de grains, d'habits et même d'or. Même la jalouse Sassouma Bérété prit part à cette générosité ; entre autres, elle distribua aux griottes de beaux pagnes.

Mais le soir descendait, le soleil s'était caché derrière la montagne ; c'était l'heure où le cortège nuptial se formait devant la case de la tante du roi ; les tam-tams s'étaient tus. Les vieilles femmes parentes du roi avaient lavé et parfumé Sogolon ; on l'habilla tout de blanc, avec un grand voile sur la tête.

Sogolon marchait la première, tenue par deux vieilles femmes ; les parents du roi suivaient et, derrière, le chœur des jeunes filles de Niani chantait le chant du départ de la mariée ; elles rythmaient leurs chansons de battements de mains. Sur la distance qui séparait la maison de la tante du palais, les villageois et les invités s'étaient alignés pour voir passer le cortège. Quand Sogolon fut arrivée au seuil du vestibule du roi, un des jeunes frères de celui-ci l'enleva vigoureusement de terre et l'emporta en courant vers le palais, tandis que la foule poussait des hourrahs.

Les femmes dansèrent longtemps encore devant le palais du roi, et après quelques générosités des membres de la famille royale, la foule se dispersa tandis que la nuit se faisait noire.

« Elle sera une femme extraordinaire si tu arrives à la posséder », c'étaient les paroles de la vieille femme de Do ; mais le vainqueur du buffle n'avait pu vaincre la jeune fille ; c'est après coup seulement que Oulani et Oulamba les deux chasseurs, pensèrent à donner Sogolon au roi du Manding.

La nuit donc Nare Maghan voulut accomplir son devoir d'époux ; Sogolon repoussa les attaques du roi ; celui-ci persista mais ses efforts furent vains et le matin de bonne heure, Doua trouva le roi anéanti comme un homme qui a subi une grande défaite.

— Qu'y a-t-il, mon roi, fit le griot ?

— Je n'ai pas pu la posséder — d'ailleurs elle m'effraie cette jeune fille. Je doute même qu'elle soit un être humain ; quand je l'approchais la nuit son corps se couvrait de longs poils et cela m'a fait très peur. La nuit durant j'ai invoqué mon double, mais il n'a pas pu maîtriser celui de Sogolon...

Tout le jour le roi ne parut pas, Doua était seul à entrer et à sortir du palais ; tout Niani semblait intrigué ; les vieilles femmes, accourues de bonne heure chercher le pagne de virginité, avaient été discrètement éconduites. Et cela dura une semaine.

Nare Maghan avait demandé vainement conseil à quelques grands sorciers, toutes les recettes furent impuissantes à maîtriser le double de Sogolon.

Or une nuit, quand tout dormait, Nare Maghan se leva. Il décrocha son sassa du mur ; s'étant assis au milieu de la case, il répandit à terre le sable que le sassa contenait. Le roi se mit à tracer des signes mystérieux dans le sable ; il traçait, effaçait, recommençait. Sogolon se réveilla. Elle savait que le sable parle, mais elle était bien intriguée de voir le roi si absorbé en pleine nuit.

Nare Maghan s'arrêta de tracer des signes ; la main sous le menton il semblait méditer le sens des signes. Soudain il se leva, bondit sur son sabre suspendu au-dessus de son lit. Il dit :

Sogolon, Sogolon, réveille-toi. Un songe m'a réveillé dans mon sommeil ; le génie protecteur des rois du Manding m'est apparu...

Je me suis mépris sur le sens des paroles du chasseur qui t'a conduite jusqu'à moi. Le génie m'en a révélé le véritable sens. Sogolon, je dois te sacrifier à la grandeur de ma maison. Le sang d'une vierge de la tribu des Kondé doit être versé, et c'est toi la vierge Kondé que le destin a conduit sous mon toit.

Pardonne-moi, mais je dois accomplir ma mission, pardonne à la main qui va répandre ton sang.

— Non, non, pourquoi moi ? non, je ne veux pas mourir !

— Inutile, dit le roi ; ce n'est pas moi qui l'ai décidé.

D'une main de fer, il saisit Sogolon par les cheveux, mais la peur avait été si forte que la jeune fille s'était évanouie. Elle s'était évanouie, figée dans son corps humain, son double n'était plus en elle, et quand elle se réveilla, elle était déjà femme.

Cette nuit-là, Sogolon conçut.

L'ENFANT-LION

Une femme s'habitue vite. Sogolon Kedjou se
promenait maintenant sans gêne dans la grande
enceinte du roi ; on s'habitua vite aussi à sa laideur. Mais la première femme du souverain,
Sassouma Bérété, se révéla insupportable. Elle ne
tenait plus en place ; elle souffrait de voir la laide
Sogolon promener fièrement sa grossesse dans le
palais : que deviendrait-elle si on déshéritait son
fils qui avait déjà huit ans, au profit de l'enfant
que Sogolon allait mettre au monde! Toutes les
attentions du roi étaient pour la future mère ; au
retour des guerres il lui apportait la meilleure part
du butin ; les beaux pagnes, les bijoux rares.
Bientôt de sombres projets s'échafaudèrent dans
l'esprit de Sassouma Bérété : elle voulait tuer
Sogolon. En grand secret, elle fit venir auprès
d'elle les plus grands sorciers du Manding, mais
tous s'avouèrent incapables d'affronter Sogolon ;
en effet, dès le crépuscule, trois hiboux venaient
s'asseoir sur le toit de sa case et la veillaient. De
guerre lasse Sassouma se dit :

— Eh bien, qu'il naisse donc, cet enfant, on
verra bien.

Sogolon arriva à terme ; le roi avait fait venir
à Niani les neuf grandes matrones du Manding qui

32

étaient maintenant constamment auprès de la fille de Do.

Le roi était un jour au milieu de ses courtisans quand on vint lui annoncer que les douleurs de Sogolon commençaient. Il renvoya tous les courtisans, seul Gnankouman Doua resta à ses côtés. On eut dit que c'était la première fois qu'il devenait père, tellement il était agité et inquiet. Tout le palais gardait un silence parfait. Doua, de sa guitare monocorde, essaya de distraire le souverain, ce fut en vain ; il dut même arrêter cette musique qui agaçait le roi. Soudain le ciel s'assombrit, de gros nuages venus de l'est cachèrent le soleil ; on était pourtant en saison sèche ; le tonnerre se mit à gronder, de rapides éclairs déchirèrent les nues ; quelques grosses gouttes de pluie se mirent à tomber tandis qu'un vent effroyable s'élevait ; un éclair accompagné d'un sourd grondement de tonnerre partit de l'est, illumina tout le ciel jusqu'au couchant. La pluie s'arrêta de tomber, le soleil parut. C'est à ce moment que sortit une matrone de la case de Sogolon ; elle courut vers le vestibule et annonça à Nare Maghan qu'il était père d'un garçon.

Le roi ne réagit point ; il était comme hébété. Alors Doua comprenant son émotion se leva, fit signe à deux esclaves qui se tenaient déjà près du tabala royal : les coups précipités du tambour royal annoncèrent au Manding la naissance d'un fils ; les tam-tams du village répondirent et ainsi le même jour, tout le Manding sut la bonne nouvelle. Au grand silence de tout à l'heure succédèrent des cris de joie, les tam-tams, les balafons ; tous les musiciens de Niani se dirigèrent vers le palais. La première émotion passée, le roi s'était

33

levé ; à sa sortie du vestibule il fut accueilli par la chaude voix de Gnankouman Doua.

— Je te salue, père, je te salue roi Nare Maghan, je te salue Maghan Kon Fatta, Frako Maghan Keign ; il est né l'enfant que le monde attend. Maghan, ô père heureux, je te salue ; il est né l'enfant-lion, l'enfant-buffle. Pour l'annoncer au monde, le Tout-Puissant a fait gronder le tonnerre, tout le ciel s'est illuminé et la terre a tremblé. Salut, père, salut roi Nare Maghan.

Tous les griots étaient là ; déjà ils ont composé un hymne à l'enfant royal ; la générosité des rois rend les griots éloquents : Maghan Kon Fatta distribua rien qu'en ce jour, dix greniers de riz à la population. Sassouma Bérété se fit remarquer par ses largesses, mais cela ne trompait personne, elle souffrait dans son cœur, mais elle ne voulait rien laisser paraître.

Le nom fut donné le huitième jour après la naissance. Ce fut une grande fête ; les gens vinrent de tous les villages du Manding, chaque peuple voisin apporta des cadeaux au roi. Dès le matin, devant le palais, un grand cercle s'était formé ; au milieu, des servantes pilaient le riz blanc qui devait servir de pain, les bœufs sacrifiés gisaient au pied du grand fromager.

Dans la case de Sogolon, la tante du roi enlevait à l'enfant ses premiers cheveux tandis que les griottes, armées de grands éventails, rafraîchissaient la mère nonchalamment étendue sur des coussins moelleux.

Le roi était dans son vestibule, il sortit, suivi de Doua. La foule fit silence et Doua cria :

— L'Enfant de Sogolon s'appellera Maghan, du nom de son père, et Mari Djata, nom qu'aucun

34

prince du Manding n'a porté ; le fils de Sogolon sera le premier de ce nom.

Aussitôt les griots crièrent le nom de l'enfant, les tam-tams retentirent à nouveau ; la tante du roi qui était sortie pour entendre le nom de l'enfant, rentra dans la case et murmura à l'oreille du nouveau-né le double nom de Maghan et de Mari Djata afin qu'il se souvienne.

La fête se termina par la distribution de viande aux chefs de famille et tout le monde se sépara dans la joie. Les proches parents entrèrent un à un dans la case de la mère pour admirer le nouveau-né.

L'ENFANCE

Dieu a ses mystères que personne ne peut percer,
Tu seras roi, tu n'y peux rien, tu seras malheureux.
tu n'y peux rien. Chaque homme trouve sa voie
déjà tracée, il ne peut rien y changer.

Le fils de Sogolon eut une enfance lente et difficile : à trois ans il se traînait encore à quatre pattes,
tandis que les enfants de la même année que lui
marchaient déjà. Il n'avait rien de la grande beauté
de son père Naré Maghan ; il avait une tête si
grosse qu'il semblait incapable de la supporter ;
il avait de gros yeux qu'il ouvrait tout grands
quand quelqu'un entrait dans la case de sa mère.
Peu bavard, l'enfant royal passait tout le jour
assis au milieu de la case ; quand sa mère sortait,
il se traînait à quatre pattes pour fureter dans les
calebasses à la recherche de nourriture. Il était
très gourmand (1).

(1) Sa gourmandise est aussi légendaire. Certains rat-
tachent à ce fait son surnom de Soun-Djata (son = voleur,
Djata = Lion). On dit qu'il allait marauder de case en case.
Selon une autre tradition (celle que j'ai adoptée) le nom de
Soundjata viendrait de la contraction du nom de la mère
(Sogolon) placé avant le nom du fils (Djata), pratique très
courante chez les malinkés, ce qui donne Sogolon Djata —
So-on-Djata. La prononciation exacte est Sondjata en
pays malinké.

Les méchantes langues commençaient à jaser : quel enfant à trois ans n'a fait ses premiers pas ? Quel enfant à trois ans ne fait le désespoir de ses parents par ses caprices, ses sautes d'humeur ? Quel enfant à trois ans ne fait la joie des siens par ses maladresses de langage ? Sogolon Djata, ainsi appelait-on l'enfant en faisant précéder son nom de celui de sa mère ; Sogolon Djata, donc, était bien différent de ceux de son âge ; il parlait peu, son visage sévère n'était jamais détendu par un sourire. On eût dit qu'il pensait déjà ; ce qui amusait les enfants de son âge l'ennuyait ; souvent Sogolon en faisait venir auprès de lui pour lui tenir compagnie ; ceux-là marchaient déjà ; la mère espérait que Djata, en voyant ses camarades marcher, serait tenté d'en faire autant. Mais rien n'y fit. D'ailleurs Sogolon Djata, de ses bras déjà vigoureux assommait les pauvres petits et aucun ne voulut plus l'approcher.

La première femme du roi fut la première à se réjouir de l'infirmité de Sogolon Djata ; son fils à elle, Dankaran Touman avait maintenant onze ans. C'était un beau garçon, vif, il passait la journée à courir à travers le village avec les enfants de son âge ; il avait même commencé son initiation en brousse. Le roi lui avait fait faire un arc et il allait derrière la ville s'exercer au tir avec ses compagnons. Sassouma était toute heureuse ; elle narguait Sogolon, dont l'enfant se traînait à terre. Quand celle-ci venait à passer devant sa case, elle disait :

— Viens, fils, marche, saute, gambade. Les génies ne t'ont rien promis d'extraordinaire ; mais j'aime mieux un fils qui marche sur ses deux jambes qu'un lion qui se traîne par terre. Elle parlait ainsi quand Sogolon passait devant sa porte; l'allusion était directe; puis elle éclatait de rire, de ce rire diabolique dont une femme jalouse sait si bien jouer.

L'infirmité de son fils accablait Sogolon Kedjou; elle avait usé de tout son talent de sorcière pour donner force aux jambes de son fils; les herbes les plus rares avaient été inefficaces; le roi lui-même désespérait.

Comme l'homme est inpatient! Naré Maghan se détacha insensiblement, mais Gnankouman Doua ne cessait de rappeler au roi les paroles du chasseur. Sogolon devint à nouveau enceinte, le roi espérait un fils, ce fut une fille; on lui donna le nom de Kolonkan; elle ressemblait à sa mère, elle n'eut rien de la beauté de son père. Le roi, découragé, interdit sa maison à Sogolon qui vécut quelque temps en demi-disgrâce; Naré Maghan épousa la fille d'un de ses alliés, le roi des Kamara; elle s'appelait Namandjé, sa beauté était légendaire; un an plus tard elle mit au monde un garçon. Le roi ayant consulté les devins sur le destin de ce fils, il lui fut répondu que l'enfant de Namandjé serait le bras droit d'un roi puissant; le roi donna au nouveau-né le nom de Boukari, on l'appellera plus tard Manding Boukary ou Manding Bory.

Naré Maghan était très perplexe : se pouvait-il que l'enfant perclus de Sogolon fût celui que le chasseur-devin a annoncé?

— Le Tout-Puissant a ses mystères, disait Gnankouman Doua, et reprenant une parole du chasseur-devin il ajouta : « Le fromager sort d'un grain minuscule. »

Naré Maghan un jour s'en vint chez Noun Faïri le forgeron-devin de Niani; c'était un vieil aveugle.

Il reçut le roi dans son vestibule qui lui servait d'atelier. A la question du roi, il répondit :

— Quand le grain germe, la croissance n'est pas toujours facile ; les grands arbres poussent lentement ; mais ils enfoncent profondément leurs racines dans le sol.

— Mais, dit le roi, le grain a-t-il vraiment germé ?

— Certainement, fit l'aveugle-devin, cependant la croissance n'est pas aussi rapide que tu le désirais. Ah! que l'homme est impatient !

Cette entrevue et la confiance de Doua dans le destin du fils de Sogolon donnèrent de l'assurance au roi. Au grand déplaisir de Sassouma Bérété le roi remit Sogolon dans ses faveurs ; et bientôt une seconde fille naquit ; on lui donna le nom de Djamarou.

Cependant tout Niani ne parlait que de l'enfant perclus de Sogolon : il avait maintenant sept ans, il se traînait encore à terre pour se déplacer ; malgré l'attachement du roi, Sogolon était au désespoir. Naré Maghan devenait vieux, il sentait son temps finir ; Dankaran Touman, le fils de Sassouma était maintenant un bel adolescent.

Or un jour Naré Maghan fit venir auprès de lui Mari-Djata ; il parla à l'enfant comme on parle à une grande personne : « Mari-Djata, je me fais vieux, bientôt je ne serai plus parmi vous ; mais avant que la mort ne m'enlève, je vais te faire le cadeau que chaque roi fait à son successeur. Au Manding chaque prince a son griot : le père de Doua a été le griot de mon père ; Doua est mon griot ; le fils de Doua, Balla Fasséké que voici sera ton griot. Soyez dès ce jour des amis inséparables : par sa bouche tu apprendras l'histoire de tes ancêtres, tu apprendras l'art de gouverner le Manding selon les principes que nos ancêtres nous ont légués. J'ai fait mon temps, j'ai fait aussi mon devoir ; j'ai fait tout ce qu'un roi du Manding doit faire : je te remets un royaume agrandi, je te laisse des alliés sûrs. Que ton destin s'accomplisse, mais n'oublie jamais que Niani est ta capitale et que le Manding est le berceau de tes ancêtres. »

L'enfant, comme s'il avait compris tout le sens des paroles du roi, fit signe à Bella Fasséké d'approcher ; il lui fit place sur la peau où il était assis, puis il dit :

— Balla, tu seras mon griot.

— Oui, fils de Sogolon, s'il plaît à Dieu, répondit Balla Fasséké.

Le roi et Doua échangèrent un coup d'œil où brillait la confiance.

LE RÉVEIL DU LION

Quelque temps après cette entrevue entre Naré Maghan et son fils, le roi mourut. Le fils de Sogolon n'avait que sept ans ; le conseil des anciens se réunit dans le palais du roi, Doua eut beau défendre le testament du roi qui réservait le trône à Mari-Djata le conseil ne tint nul compte du vœu de Naré Maghan. Les intrigues de Sassouma Béréké aidant, Dankaran Touman fut déclaré roi, un conseil de régence fut formé où la reine-mère était toute puissante. Peu de temps après Doua mourut.

Comme les hommes ont la mémoire courte, du fils de Sogolon on ne parlait qu'avec ironie et mépris : on a vu des rois borgnes, des rois manchots, des rois boiteux, mais des rois perclus des jambes personne n'en avait jamais entendu parler. Pour grand que soit le destin prédit à Mari-Djata, on ne peut donner le trône à un impuissant des jambes; si les génies l'aiment, qu'ils commencent par lui donner l'usage de ses jambes. Tels étaient les propos que Sogolon entendait tous les jours. La reine-mère Sassouma était la source de tous ces propos.

Devenue toute-puissante Sassouma Bérété persécuta Sogolon que feu Naré Maghan lui avait préférée ; elle exila Sogolon et son fils dans une arrière-cour du palais ; la mère de Mari-Djata habitait maintenant une vieille case qui avait servi de débarras à Sassouma.

La méchante reine-mère laissait la voie libre à tous les curieux qui voulaient voir l'enfant qui, à sept ans, se traînait encore par terre ; presque tous les habitants de Niani défilèrent dans le palais ; la pauvre Sogolon pleurait de se voir ainsi livrée à la risée publique. Devant la foule des curieux, Mari-Djata prenait un air féroce. Sogolon ne trouvait un peu de consolation que dans l'amour de sa première fille. Koloukan ; elle avait quatre ans et marchait, elle ; elle semblait comprendre toutes les misères de sa mère ; déjà elle l'aidait aux travaux ménagers ; quelquefois quand Sogolon vaquait à ses travaux, c'est elle qui se tenait auprès de sa sœur Djamarou encore toute petite.

Sogolon Kedjou et ses enfants vivaient des restes de la reine-mère ; elle tenait derrière le village un petit jardin dans la plaine ; c'était là qu'elle passait le plus clair de son temps, à soigner ses oignons, ses gnougous. Un jour elle vint à manquer de condiments et elle alla chez la reine-mère quémander un peu de feuille de baobab.

— Tiens, fit la méchante Sassouma, j'en ai plein la calebasse ; sers-toi, pauvre femme. Moi, mon fils à sept ans savait marcher et c'est lui qui allait me cueillir des feuilles de baobab. Prends donc, pauvre mère puisque ton fils ne vaut pas le mien. Puis elle ricana, de ce ricanement féroce qui vous traverse la chair et vous pénètre jusqu'aux os.

Sogolon Kedjou en était anéantie. Elle n'avait

jamais pensé que la haine pût être si forte chez un être humain ; la gorge serrée elle sortit de chez Sassouma. Devant sa case Mari-Djata, assis sur ses jambes impuissantes, mangeait tranquillement dans une calebasse. Ne pouvant plus se contenir Sogolon éclata en sanglots, se saisit d'un morceau de bois et frappa son fils.

— O fils de malheur, marcheras-tu jamais! Par ta faute je viens d'essuyer le plus grand affront de ma vie! Qu'ai-je fait, Dieu, pour me punir de la sorte ?

Mari-Djata saisit le morceau de bois et dit en regardant sa mère :

— Mère, qu'y a-t-il ?

— Tais-toi, rien ne pourra jamais me laver de cet affront.

— Mais quoi donc ?

— Sassouma vient de m'humilier pour une histoire de feuille de baobab. A ton âge son fils à elle marchait et apportait à sa mère des feuilles de baobab.

— Console-toi, mère, console-toi!

— Non, c'est trop, je ne puis.

— Eh bien, je vais marcher aujourd'hui, dit Mari-Djata. Va dire aux forgerons de mon père de me faire une canne en fer la plus lourde possible. Mère, veux-tu seulement des feuilles de baobab, ou bien veux-tu que je t'apporte ici le baobab entier ?

— Ah fils! je veux pour me laver de cet affront le baobab et ses racines à mes pieds devant ma case.

Balla Fasséké qui était là, courut chez le maître des forges Farakourou commander une canne de fer.

Sogolon s'était assise devant sa case ; elle pleurait doucement en se tenant la tête entre les deux mains ; Mari-Djata revint tout tranquillement à sa calebasse de riz et se remit à manger comme si rien ne s'était passé ; de temps à autre il levait un regard discret sur sa mère qui murmurait tout bas : « Je veux l'arbre entier, devant ma case, l'arbre entier. »

Tout à coup une voix éclata de rire derrière la case : c'était Sassouma la méchante qui racontait la scène de l'humiliation à une de ses servantes et elle riait fort afin que Sogolon l'entende. Sogolon s'enfuit dans la case et cacha son visage sous les couvertures afin de ne pas avoir sous les yeux ce fils impassible, plus préoccupé de manger que de toute autre chose. La tête enfouie dans les couvertures, Sogolon sanglotait, son corps s'agitait nerveusement ; sa fille Sogolon-Djamarou était venue s'asseoir auprès d'elle et disait :

— Mère, mère, ne pleure pas, pourquoi pleures-tu ?

Mari-Djata avait fini de manger, se traînant sur ses jambes il vint s'asseoir sous le mur de la case, car le soleil devenait brûlant ; à quoi pensait-il ? Lui seul le savait.

Les forges royales se trouvaient hors les murs ; plus d'une centaine de forgerons y travaillaient ; c'était de là que sortaient les arcs, les lances, les flèches et les boucliers des guerriers de Niani. Quand Balla Fasséké vint commander une canne de fer, Farakourou lui dit :

— Le grand jour est donc arrivé ?

— Oui, aujourd'hui est un jour semblable aux autres, mais aujourd'hui verra ce qu'aucun autre jour n'a vu.

Le maître des forges, Farakourou, était le fils du vieux Nounfaïri ; c'était un devin comme son père. Il y avait dans ses ateliers une énorme barre de fer fabriquée par son père Noun Faïri, tout le monde se demandait à quel usage on destinait cette barre. Farakourou appela six de ses apprentis et leur dit de porter la barre chez Sogolon.

Quand les forgerons déposèrent l'énorme barre de fer devant la case, le bruit fut si effrayant que Sogolon qui était couchée se leva en sursaut. Alors Balla Fasséké, fils de Gnankouman Doua parla :

— Voici le grand jour, Mari-Djata. Je te parle, Maghan, fils de Sogolon. Les eaux du Djoliba peuvent effacer la souillure du corps ; mais elles ne peuvent laver d'un affront. Lève-toi jeune lion, rugis, et que la brousse sache qu'elle a désormais un maître.

Les apprentis forgerons étaient encore là ; Sogolon était sortie, tout le monde regardait Mari-Djata ; il rampa à quatre pattes et s'approcha de la barre de fer. Prenant appui sur ses genoux et sur une main, de l'autre il souleva sans effort la barre de fer et la dressa verticalement ; il n'était plus que sur ses genoux, il tenait la barre de ses deux mains. Un silence de mort avait saisi l'assistance. Sogolon-Djata ferma les yeux, il se cramponna, les muscles de ses bras se tendirent, d'un coup sec il s'arc-bouta et ses genoux se détachèrent de terre ; Sogolon Kedjou était tout yeux, elle regardait les jambes de son fils qui tremblaient comme sous une secousse électrique. Djata transpirait et la sueur coulait de son front. Dans un grand effort il se détendit et d'un coup il fut sur ses deux jambes, mais la grande barre de fer était tordue et avait pris la forme d'un arc.

Alors Balla Fasséké cria l'hymne à l'arc qu'il entonna de sa voix puissante :

> *Prends ton arc, Simbon,*
> *Prends ton arc et allons-y.*
> *Prends ton arc Sogolon Djata.*

Quand Sogolon vit son fils debout, elle resta un instant muette et soudain elle chanta ces paroles de remerciement à Dieu qui avait donné à son fils l'usage de ses pieds.

> *O, jour, quel beau jour.*
> *O jour, jour de joie*
> *Allah Tout-Puissant*
> *Tu n'en fis jamais de plus beau.*
> *Mon fils va donc marcher.*

Debout, dans l'attitude d'un soldat qui se tient au repos, Mari-Djata appuyé sur son énorme canne transpirait à grosses gouttes, la chanson de Balla Fasséké avait alerté tout le palais ; les gens accouraient de partout pour voir ce qui s'était passé et chacun restait interdit devant le fils de Sogolon ; la reine-mère était accourue, quand elle vit Mari-Djata debout, elle trembla de tout son corps. Quand il eut bien soufflé, le fils de Sogolon laissa tomber sa canne, la foule s'écarta : ses premiers pas furent des pas de géant, Balla Fasséké lui emboîta le pas, montrant Djata du doigt, il criait :

> *Place, place, faites de la place,*
> *Le lion a marché.*

Antilopes, cachez-vous,
Écartez-vous de son chemin.

Derrière Niani il y avait un jeune baobab ; c'est là que les enfants de la ville venaient cueillir des feuilles pour leur mère. D'un tour de bras, le fils de Sogolon arracha l'arbre et le mit sur ses épaules et s'en retourna auprès de sa mère. Il jeta l'arbre devant la case et dit :

— Mère, voici des feuilles de baobab pour toi. Désormais c'est devant ta case que les femmes de Niani viendront s'approvisionner.

Sogolon Djata a marché. De ce jour la reine-mère ne fut plus tranquille. Mais que peut-on contre le destin ? Rien. L'homme, sous le coup de certaines illusions, croit pouvoir modifier la voie que Dieu a tracée, mais tout ce qu'il fait entre dans un ordre supérieur qu'il ne comprend guère. C'est pourquoi les efforts de Sassouma furent vains contre le fils de Sogolon ; tout ce qu'elle fit était dans le destin de l'enfant. Hier, méprisé et objet de la risée publique, le fils de Sogolon était maintenant aussi aimé qu'il avait été méprisé. La foule aime et craint la force ; tout Niani ne parlait que de Djata, toutes les mères poussaient leurs fils à devenir les compagnons de chasse de Djata, à partager ses jeux comme si elles voulaient faire profiter leur progéniture de la gloire naissante du fils de la femme-buffle. Les paroles de Doua le jour du baptême revinrent à la mémoire des hommes, on entourait maintenant Sogolon de beaucoup de respect et dans les conversations on aimait opposer la modestie de Sogolon à l'orgueil et à la méchanceté de Sassouma Bérété : c'était parce que la première

47

avait été une femme et une mère exemplaires que Dieu avait rendu la force aux jambes de son fils, car disait-on, plus une femme aime son mari, plus elle le respecte, plus elle souffre pour son enfant, plus celui-ci sera valeureux un jour. Chacun est le fils de sa mère : l'enfant ne vaut que ce que vaut sa mère. Il n'était point étonnant que le roi Dankaran Touman fût si terne, sa mère jamais n'avait manifesté le moindre respect à son mari, elle n'avait jamais, devant le feu roi, l'humilité que doit avoir toute femme devant son mari : on rappelait ses scènes de jalousie, les propos méchants qu'elle faisait circuler sur le compte de sa co-épouse et de son enfant. Et les gens concluaient gravement : « Personne ne connaît le mystère de Dieu, le serpent n'a pas de pattes, mais il est aussi rapide que n'importe quel autre animal qui a quatre pattes. »

La popularité de Sogolon Djata grandissait de jour en jour ; il était entouré d'une bande d'enfants du même âge que lui : c'était Fran Kamara, le fils du roi de Tabon, c'était Kamandjan, fils du roi de Sibi et d'autres princes encore que leurs pères avaient envoyés à la cour de Niani ; déjà Manding Bory, le fils de Namandjé se mêlait à leurs jeux. Balla Fasséké suivait tout le temps Sogolon Djata, il avait vingt ans passés, lui ; c'était lui qui donnait à l'enfant l'éducation et l'instruction selon les principes du Manding ; il ne manquait aucune occasion d'instruire son élève à la chasse ou en ville. Plusieurs jeunes garçons de Niani venaient se joindre aux jeux du royal enfant.

Celui-ci aimait surtout la chasse ; Farakourou, le maître des forges, avait fait pour Djata un bel arc ; Mari-Djata se révéla un bon tireur à l'arc. Avec sa bande il faisait de fréquentes sorties et le soir tout Niani était sur la place pour assister à l'entrée des jeunes chasseurs ; la foule chantait l'hymne à l'arc créé par Balla Fasséké et c'est tout jeune que Sogolon Djata reçut le titre de Simbon, ou maître chasseur, qu'on n'accorde qu'aux grands chasseurs qui ont fait leurs preuves.

Tous les soirs devant sa case, Sogolon Kedjou réunissait Djata et ses compagnons ; elle leur racontait les histoires des bêtes de la brousse, les frères muets des hommes ; le fils de Sogolon apprit à faire la distinction entre les animaux : il sut pourquoi le buffle est le double de sa mère ; il sut aussi pourquoi le lion était le protecteur de la famille de son père. Il écoutait aussi l'histoire des rois que lui racontait Balla Fasséké ; il écoutait avec ravissement l'histoire de Djoulou Kara Naïni, le grand roi de l'or et de l'argent, celui dont le soleil a brillé sur toute une moitié du monde (1). Sogolon initia son fils à certains secrets, elle lui révéla le nom des plantes médicinales que tout grand chasseur doit connaître. Ainsi, entre sa mère et son griot, l'enfant sut tout ce qu'il fallait savoir.

Le fils de Sogolon avait maintenant dix ans. Sogolon-Djata, sous la langue rapide des maninka, est devenu Soundjata ou Sondjata. C'était un jeune garçon plein de vigueur ; ses bras avaient la force de dix bras, ses biceps faisaient peur à ses

(1) *Djoulou Kara Naïni* est la déformation mandingue de Doul. Kara Naïn c'est le nom donné à Alexandre le Grand par les musulmans. Dans toutes les traditions du Manding on aime souvent comparer Soundjata à Alexandre. On dit qu'Alexandre fut l'avant-dernier conquérant du monde et Soundjata le septième et dernier conquérant.

compagnons. Il avait déjà le parler autoritaire de ceux qui doivent commander ; Manding Bory, son frère, devint son meilleur ami ; dès qu'on voyait Djata, aussitôt Manding Bory se faisait voir ; ils étaient comme l'homme et son ombre. Fran Kamara et Kamandjou étaient les meilleurs amis des jeunes princes; Balla Fasséké les suivait comme un ange gardien.

Mais la popularité de Soundjata fut telle que la reine-mère s'inquiéta pour le trône de son fils ; Dankaran Touman était ce qu'il y a de plus effacé ; à dix-huit ans il était encore sous l'influence de sa mère et de quelques vieux intrigants. Sous son nom c'était Sassouma Bérété qui régnait. La reine-mère voulut mettre fin à cette popularité en tuant Soundjata et c'est ainsi qu'une nuit elle reçut chez elle les neuf grandes sorcières du Manding.

C'étaient de vieilles femmes ; la plus âgée, la plus dangereuse aussi, s'appelait Soumosso Konkomba ; quand les neuf mégères se furent assises en demi-cercle autour de son lit la reine-mère dit :

— Vous qui régnez dans la nuit, vous puissances nocturnes, vous qui détenez le secret de la vie, vous qui pouvez mettre fin à une vie, pouvez-vous m'aider ?

— La nuit est puissante, dit Soumosso Konkomba, ô reine, dites-nous ce qu'il faut faire; sur qui faut-il diriger la lame fatale ?

— Je veux supprimer Soundjata, dit Sassouma. Son destin s'oppose à celui de mon fils; il faut le tuer quand il en est temps encore ; si vous réussissez je vous promets les plus belles récompenses ; avant tout je donne à chacune une vache et son veau et dès demain allez aux greniers royaux de ma part et chacune de vous recevra cent mesures de riz et cent mesures de foin.

— Mère du roi, reprit Soumosso Konkomba, la vie ne tient qu'à un fil très mince ; mais tout est lié ici-bas. La vie a une cause, la mort aussi. L'une sort de l'autre ; votre haine a une cause, votre action doit avoir une cause. Mère du roi tout se tient, notre action n'aura d'effet que si nous sommes en cause, mais Mari-Djata ne nous a rien fait de mal ; il nous est donc difficile de l'atteindre.

— Mais vous êtes en cause ; répliqua la reine-mère, car le fils de Sogolon sera un fléau pour nous tous.

— Le serpent mord rarement le pied qui ne marche pas, dit une des sorcières.

— Oui, mais il y a des serpents qui s'en prennent à tout le monde. Laissez grandir Soundjata et nous nous en repentirons tous. Allez demain dans le potager de Sogolon et faites mine de cueillir quelques feuilles de gnougou, Mari-Djata y monte la garde ; vous verrez combien ce garçon est méchant, il n'aura nul égard à votre âge, il vous rossera.

— L'idée est ingénieuse, fit l'une des mégères.

— Mais la cause de notre mécontentement sera nous-mêmes, nous aurons touché quelque chose qui ne nous appartient pas.

— Nous récidiverons, fit une autre, et s'il nous battait à nouveau nous pourrions lui reprocher d'être méchant, d'être sans cœur. Là nous serions en cause je crois.

— L'idée est ingénieuse, dit Soumousso Konkomba. Nous irons demain dans le potager de Sogolon.

— Voilà qui est bien trouvé, conclut la reine-mère en riant de joie. Allez demain dans le potager, vous verrez que le fils de Sogolon est méchant. Auparavant présentez-vous aux greniers royaux où vous toucherez ce que je vous ai promis en grains ; les vaches et leurs veaux sont déjà à vous.

Les vieilles mégères s'inclinèrent. Elles disparurent dans la nuit noire. La reine-mère était maintenant seule, elle savourait d'avance sa victoire. Mais sa fille Nana Triban se réveilla.

— Mère, avec qui causais-tu ? J'ai cru entendre des voix.

— Dors ma fille, ce n'est rien. Dors, tu n'as rien entendu.

Le matin, selon son habitude, Soundjata réunit ses compagnons devant la case de sa mère et dit :

— Quel animal allons-nous chasser aujourd'hui ?

— Je voudrais bien qu'on s'attaquât aux éléphants maintenant, fit Kamandjan.

— Oui, je suis de cet avis, fit Fran Kamara, cela nous permettra d'aller loin dans la brousse.

Et la jeune troupe partit après que Sogolon eut rempli les sassa de provisions de bouche.

Soundjata et ses compagnons rentrèrent tard au village, mais auparavant Djata voulut, selon son habitude, jeter un coup d'œil sur le potager de sa mère. C'était le crépuscule ; il y trouva les neuf sorcières qui maraudaient des feuilles de gnougou, elles firent mine de s'enfuir comme des voleurs qu'on surprend.

— Arrêtez, arrêtez, pauvres vieilles, dit Djata. Qu'avez-vous à fuir ainsi ? Ce jardin appartient à tous.

Aussitôt ses compagnons et lui remplirent les

calebasses des vieilles mégères de feuilles, d'aubergines et d'oignons.

— Chaque fois que vous manquerez de condiments, venez sans crainte vous ravitailler ici.

— Tu nous désarmes, dit une des neuf mégères.

— Et tu nous confonds par ta bonté, ajouta une autre.

— Écoute, Djata, dit Soumousso Konkomba. Nous étions venues pour t'éprouver. Nous n'avons nul besoin de condiments, mais ta générosité nous désarme. Nous étions envoyées par la reine-mère pour te provoquer et attirer sur toi les colères des puissances nocturnes. Mais on ne peut rien contre un cœur plein de bonté. Et dire que nous avons déjà touché cent mesures de riz et cent mesures de mil; en plus la reine promet à chacune de nous une vache et son veau. Pardonne-nous, fils de Sogolon.

— Je ne vous en veux pas, dit Djata. Tenez, je rentre de la chasse avec mes compagnons : nous avons tué dix éléphants; eh bien je donne à chacune de vous un éléphant et voilà de la viande pour vous.

— Merci, fils de Sogolon.

— Merci, enfant de la justice.

— Nous veillerons désormais sur toi, conclut Soumousso Konkomba.

Et les neuf sorcières disparurent dans la nuit.

Soundjata et ses compagnons reprirent la route de Niani et rentrèrent quand il faisait déjà nuit.

— Tu as eu bien peur, dit Sogolon Kolonkan, la jeune sœur de Djata ; elles t'ont fait peur les neuf sorcières, hein !

— Comment le sais-tu ? fit Soundjata étonné.

— Je les ai vues la nuit machinant leur pro-

jet, mais je savais qu'il n'y avait pas de danger pour toi.

Kolonkan était très versée dans l'art de la sorcellerie et elle veillait sur son frère sans que celui-ci s'en doutât.

L'EXIL

Mais Sogolon était une mère prudente. Elle savait tout ce que pouvait faire Sassouma pour nuire à sa famille; un soir, après que les enfants eurent mangé, elle les réunit et dit à Soundjata :

— Partons d'ici, mon fils; Manding Bory et Djamarou sont vulnérables; ils ne sont pas dans les secrets de la nuit; ils ne sont pas sorciers. Désespérant de t'atteindre, Sassouma dirigera ses coups sur ton frère ou sur ta sœur. Partons d'ici, tu reviendras plus tard, quand tu seras grand, pour régner, car c'est au Manding que ton destin doit s'accomplir.

C'était le parti de la sagesse : Manding Bory, le fils de la troisième femme de Nare Magham, Namandjé, n'avait aucun don de sorcellerie; Soundjata l'aimait beaucoup ; depuis la mort de Namandjé l'enfant avait été recueilli par Sogolon ; Soundjata avait trouvé en son demi-frère un grand ami. On ne choisit pas ses parents, mais on peut choisir ses amis. Manding Bory et Soundjata étaient de véritables amis et c'est pour sauver son frère que Djata accepta l'exil.

Balla Fasséké, le griot de Djata, prépara minutieusement le départ. Mais Sassouma Bérété surveillait Sogolon et sa famille.

Un matin, le roi Dankaran Touman réunit le

conseil. Il annonça son intention d'envoyer une ambassade au puissant roi de Sosso, Soumaoro Kanté ; pour une mission aussi délicate il avait pensé à Balla Fasséké, le fils de Doua, griot de son père. Le conseil approuva la décision du roi, l'ambassade fut constituée et Balla Fasséké en fut le chef.

C'était une manière très habile d'enlever à Soundjata le griot que son père lui avait donné. Djata était à la chasse et quand il revint le soir, Sogolon Kedjou lui apprit la nouvelle. L'ambassade était partie le matin même. Soundjata entra dans une colère épouvantable.

— Quoi ! m'enlever le griot que mon père m'a donné ! Non, il me rendra mon griot.

— Arrête, dit Sogolon, laisse faire. C'est Sassouma qui agit ainsi, mais elle ne sait pas qu'elle obéit à un ordre supérieur.

— Viens avec moi, dit Soundjata à son frère Manding Bory.

Et les deux princes sortirent. Djata bouscula les gardes de la maison de Dankaran Touman ; il était tellement en colère qu'il ne put articuler un mot. C'est Manding Bory qui parla :

— Frère Dankaran Touman, tu nous as enlevé notre part d'héritage. Chaque prince a eu son griot. Tu as enlevé Balla Fasséké, il n'était pas à toi ; mais où qu'il soit, Balla sera toujours le griot de Djata. Et puisque tu ne veux plus nous sentir auprès de toi, nous quitterons le Manding et nous irons loin d'ici.

— Mais je reviendrai, ajouta avec force le fils de Sogolon. Je reviendrai, tu m'entends ?

— Tu sais que tu pars, répondit le roi, mais tu ne sais si tu reviendras.

56

— Je reviendrai, tu m'entends, reprit Djata. Le ton était catégorique. Un frisson parcourut tout le corps du roi, Dankaran Touman tremblait de tous ses membres ; les deux princes sortirent; la reine-mère alertée accourut, elle trouva son fils effondré.

— Mère, il part, mais il dit qu'il reviendra. Mais pourquoi part-il; je veux lui rendre son griot, moi ; pourquoi part-il ?

— Oui, il restera puisque tu le veux. Mais alors cède-lui le trône, toi qui trembles devant les menaces d'un enfant de dix ans. Cède-lui ta place puisque tu ne peux pas régner. Moi je vais retourner au village de mes parents, je ne pourrai pas vivre sous la tyrannie du fils de Sogolon. J'irai finir mes jours auprès de mes parents et je dirai que j'ai eu un fils qui a peur de régner.

Sassouma se lamenta si bien que Dankaran Touman se découvrit soudain une âme de fer ; maintenant il voulait la mort de ses frères; eh bien qu'ils partent! tant pis, et qu'il ne les rencontre plus sur son chemin! Il règnera. Seul. Car le pouvoir ne souffre pas de partage.

Ainsi Sogolon et ses enfants ont connu l'exil.

Pauvres de nous! Nous croyons nuire à notre prochain alors que nous travaillons dans le sens même du destin.

Notre action n'est pas nous, car elle nous est commandée.

Sassouma Bérété s'est cru victorieuse, car Sogolon et ses enfants ont fui le Manding! Leurs pieds ont labouré la poussière des chemins. Ils ont subi les injures que connaissent ceux qui partent de leur patrie ; des portes se sont fermées devant eux; des rois les ont chassés de leur cour.

Mais tout cela était dans le grand destin de Djata. Sept années sont passées, sept hivernages se sont succédé et l'oubli est entré dans l'esprit des hommes, mais le temps, d'un pas égal, a marché : les lunes ont succédé aux lunes dans le même ciel ; les fleuves dans leur lit ont continué leur course interminable.

Sept années sont passées et Soundjata a grandi. Son corps est devenu vigoureux, les malheurs ont donné la sagesse à son esprit. Il est devenu un homme ; Sogolon a senti le poids de l'âge et de la bosse s'accentuer sur ses épaules tandis que Djata, tel un jeune arbre, s'élançait vers le ciel.

Partis de Niani, Sogolon et ses enfants s'étaient arrêtés à Djedeba chez le roi Mansa Konkon le grand sorcier ; Djedeba était une ville sur le Djoliba à deux jours de Niani ; le roi les reçut avec un peu de méfiance. Mais partout l'étranger a droit à l'hospitalité, Sogolon et ses enfants furent logés dans l'enceinte même du roi et pendant deux mois Soundjata et Manding Bory se mêlèrent aux jeux des enfants du roi ; une nuit que les enfants jouaient aux osselets devant le palais, au clair de lune, la fille du roi, qui n'avait que douze ans, dit à Manding Bory :

— Tu sais que mon père est un grand sorcier.

— Ah oui ? fit l'innocent Manding Bory.

— Oui, comment, tu ne le savais pas ? Eh bien sa puissance réside dans le jeu de wori ; tu sais jouer au wori (1).

(1) Le *Wori* est un jeu très en vogue en Haute-Guinée et au Soudan Occidental ; c'est une sorte de jeu de dames,

— Mon frère lui, est un grand sorcier.

— Sans doute, il n'égale pas mon Père.

— Mais comment ? Ton père joue-t-il au wori ?

A ce moment Sogolon appela ses enfants car la lune venait de se coucher.

— Maman nous appelle, dit Soundjata qui se tenait à l'écart, viens Manding Bory. Si je ne me trompe, tu aimes la fille de Mansa Konkon ?

— Oui frère, mais sache que pour conduire une vache à l'étable il suffit de prendre le veau.

— Certes, la vache suivra le ravisseur. Mais de la prudence, si la vache est furieuse, tant pis pour le ravisseur.

Les deux frères rentrèrent en se renvoyant les proverbes. La sagesse des hommes est contenue dans les proverbes et quand les enfants manient les proverbes, c'est signe qu'ils ont profité du voisinage des adultes.

Ce matin-là Soundjata et Manding Bory ne sortirent pas de l'enceinte royale ; ils jouèrent avec les enfants du roi sous l'arbre de la réunion.

Au début de l'après-midi Mansa Konkon fit mander le fils de Sogolon dans son palais.

Le roi habitait dans un véritable labyrinthe ; après plusieurs détours à travers les couloirs obscurs, un serviteur laissa Djata dans une salle faiblement éclairée. Il regarda autour de lui, mais il n'avait pas peur. La peur entre dans le cœur de celui qui ignore son destin. Soundjata savait qu'il marchait vers un grand destin, il ne savait pas ce que c'était que la peur. Quand ses yeux se furent habitués à la demi-obscurité, Soundjata

où les pions sont de petits cailloux disposés dans des trous creusés dans un tronc d'arbre.

vit le roi assis à contre-jour sur une grande peau de bœuf, il vit accrochées aux murs de magnifiques armes et il s'exclama :

— Quelles belles armes tu as, Mansa Konkon !

Et saisissant un sabre, il se mit à escrimer tout seul contre un ennemi imaginaire. Le roi, étonné, regardait l'enfant extraordinaire.

— Tu m'as fait mander, fit celui-ci, je suis là. Il raccrocha le sabre.

— Assieds-toi, dit le roi. Chez moi j'ai l'habitude d'inviter à jouer mes hôtes, nous allons donc jouer, nous allons jouer au wori. Mais j'ai des conditions peu communes : si je gagne — et je gagnerai — je te tue.

— Et si c'est moi qui gagne ? fit Djata sans se désemparer.

— Dans ce cas je te donnerai tout ce que tu me demanderas. Mais sache que je gagne toujours.

— Si je gagne je ne te demande que ce sabre, fit Djata en montrant l'arme qu'il avait maniée.

— D'accord, fit le roi. Tu es sûr de toi, hein !

Il tira le bois où étaient creusés les trous du wori, il mit quatre cailloux dans chacun des trous.

— Je commence, fit le roi, et prenant les quatre cailloux d'un trou il les distribua en scandant ces mots :

I don don, don don Kokodji.
Wori est l'invention d'un chasseur.
I don don, don don Kokodji.
Je suis imbattable à ce jeu.
Je m'appelle « roi-exterminateur ».

Et Soundjata prenant les cailloux d'un trou enchaîna :

> *I don don, don don Kokodji.*
> *Autrefois l'hôte était sacré.*
> *I don don, don don Kokodji.*
> *Mais l'or est d'hier.*
> *Moi je suis d'avant-hier.*

— Quelqu'un m'a trahi, rugit le roi Mansa Konkon, quelqu'un m'a trahi.

— Non, roi, n'accuse personne, dit l'enfant.

— Alors ?

— Voici bientôt trois lunes que je vis chez toi, jamais tu ne m'avais proposé de jouer au wori. Dieu est la langue de l'hôte. Mes paroles ne traduisent que la vérité car je suis ton hôte.

La vérité c'est que la reine-mère de Niani avait envoyé de l'or à Mansa Konkon pour qu'il supprime Soundjata : « l'or est d'hier » et Soundjata était antérieur à l'or, à la cour du roi. La vérité c'est que la fille du roi avait révélé le secret à Manding Bory.

Le roi, confus, dit alors :

— Tu as gagné, mais tu n'auras pas ce que tu as demandé et je te chasse de ma ville.

— Merci pour l'hospitalité de deux mois, mais je reviendrai, Mansa Konkon.

De nouveau Sogolon et ses enfants prirent la route de l'exil. Ils s'éloignèrent du fleuve et se dirigèrent vers l'ouest, ils allaient demander l'hospitalité au roi de Tabon dans le pays qu'on appelle aujourd'hui Fouta Djallon ; cette région était alors habitée par les Kamara forgerons et les Djallonkés. Tabon était une ville imprenable, retranchée derrière les montagnes, le roi était depuis longtemps allié de la cour de Niani ; son fils Fran Kamara avait été un des compagnons de Soundjata. Après le départ de Sogolon, les princes-compagnons de Djata avaient été renvoyés dans leur famille respective.

Mais le roi de Tabon était déjà vieux et il ne voulait pas se brouiller avec celui qui régnait à Niani. Il accueillit Sogolon avec bonté et lui conseilla d'aller le plus loin possible ; il lui proposa la cour de Wagadou dont il connaissait le roi. Justement une caravane de marchands partait pour Wagadou (2) ; le vieux roi recommanda Sogolon et ses enfants aux marchands, il retarda même le départ de quelques jours pour permettre à la mère de se remettre un peu de ses fatigues.

C'est avec joie que Soundjata et Manding Bory avaient retrouvé Fran Kamara. Celui-ci, non sans orgueil, leur fit visiter les forteresses de Tabon ; il leur fit admirer la gigantesque porte de fer, les arsenaux du roi. Fran Kamara était très heureux de recevoir Soundjata chez lui ; il fut très peiné lorsqu'arriva le jour fatal, le jour du départ ; la veille il avait offert une partie de chasse aux princes du Manding et les jeunes avaient parlé dans la brousse comme des hommes.

— Quand je reviendrai au Manding, avait dit Soundjata, je passerai te prendre à Tabon, nous irons ensemble à Niani.

— D'ici là nous aurons grandi, avait ajouté Manding Bory.

— J'aurai à moi toute l'armée de Tabon

(2) *Wagadou*, c'est le nom en Malinké du pays de l'Ancien Ohana où régnaient les princes Cissé-Tounkara.

avait dit Fran Kamara. Les forgerons et les Djallonkés sont d'excellents guerriers, déjà j'assiste au rassemblement des hommes en armes que mon père organise une fois l'an.

— Je te ferai grand général, nous parcourrons beaucoup de pays, nous serons les plus forts. Les rois trembleront devant nous comme la femme tremble devant l'homme.

Ainsi avait parlé le fils de Sogolon.

Les exilés reprirent les chemins, Tabon était très loin de Wagadou ; les marchands furent bons avec Sogolon et ses enfants ; le roi avait fourni les montures. La caravane se dirigeait vers le nord, laissant le pays de Kita à droite.

En route les marchands racontèrent aux princes beaucoup d'événements du passé ; Mari-Djata fut particulièrement intéressé par les récits se rapportant au grand roi du jour, Soumaoro Kanté. C'était chez lui, à Sosso, que Balla Fasséké était parti en ambassade. Djata apprit que Soumaoro était le roi le plus puissant et le plus riche, même le roi de Wagadou lui payait tribut ; il était aussi d'une très grande cruauté.

Le pays de Wagadou est un pays sec où l'eau manque ; autrefois les Cissé de Wagadou étaient les princes les plus puissants ; ils descendaient de Djoulan Kara Naïni le roi de l'or et de l'argent ; mais depuis que les Cissé avaient rompu le pacte ancestral (3) leur pouvoir n'avait cessé de décroître.

(3) *Dio.* — C'est l'interdit formulé par un ancêtre et que les descendants doivent respecter. Ici il s'agit de la légende bien connue du serpent de Ghana. Cette ville aurait eu pour Génie protecteur un serpent géant auquel on portait chaque année une jeune fille en sacrifice. Le choix étant tombé sur la belle Sia, son fiancé, Mamadou Lamine

A l'époque de Soundjata les descendants de Djoulou Kara Naïni payaient tribut au roi de Sosso !
Après plusieurs jours de marche la caravane arriva
devant Wagadou ; les marchands montrèrent
à Sogolon et à ses enfants la grande forêt de
Wagadou où habitait le grand serpent-Bida ; la
ville était entourée d'énormes murailles assez mal
entretenues ; les voyageurs remarquèrent qu'il
y avait beaucoup de commerçants blancs à Wagadou ; on voyait autour de la ville beaucoup de
campements ; les chameaux, en laisse, erraient
partout alentour.

Wagadou était le pays des Sarakhoulé, les gens
ici ne parlaient pas la langue du Manding, cependant il y avait beaucoup de personnes qui la
comprenaient car les Sarakhoulé voyagent beaucoup, ce sont de grands commerçants ; leurs
caravanes d'ânes lourdement chargés venaient
en chaque saison sèche jusqu'à Niani ; ils s'établis-
saient derrière la ville et les habitants sortaient
faire des échanges.

Les marchands se dirigèrent vers la porte monumentale de la ville ; le chef de la caravane
parla aux gardes, et l'un d'eux fit signe de le
suivre à Soundjata et à sa famille, qui entrèrent
dans la ville des Cissé. Les maisons en terrasses

(d'autres traditions l'appellent Ahmadou le Taciturne),
trancha la tête au serpent et sauva sa bien-aimée. Depuis,
les calamités n'ont cessé d'éprouver la ville dont les habitants s'enfuirent par suite de la sécheresse qui s'abattit sur
tout le pays.

Il est toutefois difficile de préciser la date de la disparition
de la ville de Ghana (Wagadou). Selon Delafosse la ville
fut anéantie par Soundjata lui-même en 1240. Mais Ibn
Khaldoun fait encore mention d'un interprète de Ghana
à la fin du XIVe siècle.

n'avaient pas de toit de paille, cela changeait complètement avec les villes du Manding ; il y avait aussi beaucoup de mosquées dans cette ville, cela n'avait rien d'étonnant pour Soundjata car il savait que les Cissé étaient aussi de grands marabouts ; à Niani il n'y avait qu'une mosquée. Les voyageurs remarquèrent que les vestibules étaient incorporés aux maisons ; au Manding, le vestibule ou « bollon » était une construction indépendante. Comme c'était le soir tout le monde se dirigeait vers les mosquées ; les voyageurs ne comprenaient rien aux propos que les passants échangeaient en les voyant se diriger vers le Palais.

Le palais du roi de Wagadou était une construction imposante ; les murs étaient très hauts ; on eut dit que c'était une habitation pour des génies et non pour des hommes. Sogolon et ses enfants furent reçus par le frère du roi, qui comprenait le Maninka.

Le roi était à la prière, son frère installa les voyageurs dans une immense pièce ; on leur porta de l'eau pour qu'ils se désaltérassent. Après la prière le roi rentra dans son palais et reçut les étrangers. Son frère servit d'interprète.

— Le roi salue les étrangers.

— Nous saluons le roi de Wagadou, fit Sogolon.

— Les étrangers sont entrés en paix à Wagadou, que la paix reste sur eux dans notre ville.

— Amen.

— Le roi donne la parole aux étrangers.

— Nous sommes du Manding, commença Sogolon, le père de mes enfants était le roi Nare Maghan qui, il y a quelques années, avait envoyé une ambassade d'amitié à Wagadou. Mon mari est mort, mais le conseil n'a pas respecté ses vœux et mon fils aîné (elle montra Soundjata) fut écarté du trône. On lui a préféré le fils de ma co-épouse. J'ai connu l'exil ; la haine de ma co-épouse m'a chassé de toutes les villes ; avec mes enfants j'ai marché sur tous les chemins. Je viens aujourd'hui demander asile aux Cissé de Wagadou.

Il y eut quelques instants de silence ; pendant le discours de Sogolon, le roi et son frère n'avaient pas quitté Soundjata des yeux un seul instant. Tout autre enfant de onze ans eut été troublé par des yeux d'adultes, mais Soundjata, lui, garda son calme, il regardait tranquillement les riches décorations de la salle de réception du roi : les riches tapis, les beaux cimeterres accrochés aux murs et les riches vêtements des courtisans.

Au grand étonnement de Sogolon et de ses enfants, le roi parla aussi dans la langue même du Manding.

— Jamais un étranger n'a pris notre hospitalité en défaut ; ma cour est votre cour, mon palais est le vôtre. Vous êtes chez vous ; de Niani à Wagadou, considérez que vous n'avez fait que changer de chambre. L'amitié qui unit le Manding et le Wagadou remonte à une époque très éloignée, les anciens et les griots le savent ; ceux du Manding sont nos cousins.

Et s'adressant à Soundjata le roi dit d'un ton familier :

— Approche cousin, comment t'appelles-tu ?

— Je m'appelle Mari-Djata, je m'appelle aussi Maghan, mais plus communément on m'appelle Sogolon-Djata. Mon frère, lui, s'appelle Manding-Boukari, la plus jeune de mes sœurs s'appelle Djamarou, l'autre Sogolon-Kolonkan.

66

— En voilà un qui fera un grand roi, il n'oublie personne.

Voyant que Sogolon était très fatiguée, le roi dit :

— Frère, occupe-toi de nos hôtes ; que Sogolon et ses enfants soient royalement traités ; que dès demain les princes du Manding prennent place parmi nos enfants.

***

Sogolon se remit assez rapidement de ses fatigues. Elle fut traitée comme une reine à la cour du roi Soumaba Cissé. On habilla les enfants à la mode de ceux de Wagadou ; Soundjata et Manding Bory eurent de magnifiques blouses longues brodées ; on les entourait de tant de soins que Manding Bory en était gêné, mais Soundjata trouvait tout naturel qu'on le traitât ainsi. La modestie est le partage de l'homme moyen ; les hommes supérieurs ne connaissent pas l'humilité ; Soundjata devint même exigeant, et plus il était exigeant, plus les serviteurs tremblaient devant lui. Il fut très apprécié par le roi qui dit un jour à son frère :

— Si un jour il a un royaume, tout lui obéira car il sait commander.

Cependant Sogolon ne trouva pas une paix plus durable à Wagadou qu'à la cour de Djedeba ou de Tabon ; elle tomba malade au bout d'un an.

Le roi Soumaba Cissé décida d'envoyer Sogolon et les siens à Mema à la cour de son cousin Tounkara. Mema était la capitale d'un grand royaume sur le Djoliba après le pays de Do ; le roi rassura Sogolon sur l'accueil qu'on lui ferait. Sans doute l'air qui souffle du fleuve pourrait redonner la santé à Sogolon.

Les enfants eurent de la peine à quitter Wagadou, ils s'étaient fait beaucoup d'amis ; mais le destin était ailleurs, il fallait partir.

Le roi Soumaba Cissé confia les voyageurs à des commerçants qui allaient à Mema. C'était une grande caravane ; le voyage se fit à dos de chameaux ; depuis longtemps les enfants s'étaient familiarisés avec ces animaux inconnus au Manding. Le roi avait présenté Sogolon et ses enfants comme des membres de sa famille, aussi furent-ils traités avec beaucoup d'égards par les marchands. Toujours avide de connaître, Soundjata posa beaucoup de questions aux caravaniers. C'étaient des gens très instruits ; ils racontèrent beaucoup de choses à Soundjata ; on lui parla des pays au-delà de Wagadou, le pays des Arabes, le Hedjaz, berceau de l'Islam et berceau des ancêtres de Djata, car Bibali Bounama le fidèle serviteur du prophète, venait du Hedjaz ; il apprit beaucoup de choses sur Djoulou Kara Naïni ; mais c'est avec terreur que les marchands parlaient de Soumaoro, le roi sorcier, le pillard qui enlevait tout aux marchands quand il était de mauvaise humeur.

Un courrier parti plus tôt de Wagadou avait annoncé l'arrivée de Sogolon à Mema ; une grande escorte fut envoyée au devant des voyageurs ; devant Mema il y eut une véritable réception ; les archers et les lanciers formaient une double haie ; les marchands n'eurent que plus de considérations pour leurs compagnons de voyage. Chose étonnante, le roi était absent : c'était sa sœur qui avait organisé cette grande réception : tout Mema était à la porte de la ville ; on eut dit que c'était le retour du roi ; ici beaucoup de personnes parlaient malinké et Sogolon et ses enfants purent comprendre l'étonnement des gens qui se disaient :

— Mais d'où viennent-ils ? Qui sont-ils ?

La sœur du roi reçut Sogolon et ses enfants dans le Palais. Elle parlait très bien le maninka-kan. Elle parla à Sogolon comme si elle la connaissait depuis longtemps ; elle logea Sogolon dans une aile du palais. Comme à son habitude Soundjata s'imposa très vite aux jeunes princes de Mema ; en quelques jours il connut tous les coins et recoins de l'enceinte royale.

L'air de Mema, du fleuve, fit beaucoup de bien à la santé de Sogolon ; elle fut encore plus touchée par l'amitié de la sœur du roi. Celle-ci s'appelait Massiran.

Massiran, la sœur du roi, confia à Sogolon que le roi n'avait pas d'enfants ; les nouveaux compagnons de Soundjata étaient les fils des vassaux de Mema ; le roi était allé en campagne contre les montagnards qui se trouvent de l'autre côté du fleuve ; il en était ainsi tous les ans car dès qu'on laissait la paix à ces tribus, elles descendaient des montagnes pour piller le pays.

Soundjata et Manding Bory retrouvèrent leur plaisir favori, la chasse : ils y allaient avec les jeunes vassaux de Mema.

A l'approche de l'hivernage on annonça le retour du roi ; la ville de Mema fit un accueil triomphal à son roi : Moussa Tounkara, richement vêtu, montait un superbe cheval, sa cavalerie redoutable formant une escorte imposante ; les fantassins marchaient en rangs, portant sur la tête les prises faites sur l'ennemi ; les tambours de guerre roulaient, tandis que les captifs, tête basse et les mains liées au dos, avançaient tristement sous les ricanements de la foule.

Quand le roi fut en son palais, sa sœur Massiran présenta Sogolon et ses enfants et lui remit la lettre du roi de Wagadou ; Moussa Tounkara fut très affable ; il dit à Sogolon :

— Soumala mon cousin vous recommande, cela suffit, vous êtes chez vous. Vous resterez ici aussi longtemps que vous le voudrez.

C'est à la cour de Mema que Soundjata et Manding Bory firent leurs premières armes ; Moussa Tounkara était un grand guerrier, aussi admirait-il la force. Quand Soundjata eut quinze ans le roi l'emmena avec lui en campagne. Soundjata étonna toute l'armée par sa force et sa fougue à la charge ; au cours d'une escarmouche contre les montagnards, il se rua avec tant d'impétuosité sur l'ennemi que le roi prit peur pour lui, mais Mansa Tounkara admirait trop la bravoure pour arrêter le fils de Sogolon. Il le suivait de près pour le protéger et il voyait avec ravissement l'adolescent semer la panique parmi l'ennemi ; il avait une présence d'esprit remarquable, frappait à droite, à gauche, et s'ouvrait une route glorieuse. Quand l'ennemi se fut enfui, les vieux sofas (4) dirent : « En voilà un qui fera un bon roi. » Moussa Tounkara prit le fils de Sogolon dans ses bras et dit : « C'est le destin qui t'envoie à Mema, je ferai de toi un grand guerrier. »

Depuis ce jour Soundjata ne quitta plus le roi ; il éclipsa tous les jeunes princes ; il était aimé de toute l'armée ; on ne parlait que de lui dans le

(4) *Sofas :* soldats, guerriers.

camp. On fut encore bien plus surpris par la clarté de son esprit ; au camp, il avait réponse à tout ; les situations les plus embarrassantes trouvaient une solution devant l'adolescent.

Bientôt ce fut dans Mema que l'on commença à parler du fils de Sogolon : n'était-ce pas la Providence qui envoyait cet enfant en ce moment où Mema n'avait pas d'héritier ? On affirmait déjà que Soundjata étendrait son empire depuis Mema jusqu'au Manding ; il était de toutes les campagnes ; les incursions de l'ennemi devinrent de plus en plus rares et la réputation du fils de Sogolon s'étendit au-delà du fleuve.

Au bout de trois ans, le roi nomma Soundjata Kan-Koro-Sigui, c'est-à-dire vice-roi ; en l'absence du roi c'était lui qui commandait. Djata avait maintenant dix-huit hivernages. C'était alors un grand jeune homme au gros cou, à la poitrine puissante ; personne ne pouvait tendre son arc. Tout le monde s'inclinait devant lui, on l'aimait ; ceux qui ne l'aimaient pas le craignaient ; sa voix devint autoritaire.

Le choix du roi fut approuvé par l'armée et le peuple ; le peuple aime tout ce qui lui en impose. Les devins de Mema révélèrent la destinée extraordinaire de Djata. On dit qu'il était le successeur de Djoulou Kara Naïni et qu'il serait encore plus grand ; déjà les soldats faisaient mille rêves de conquête. Que ne peut-on avec un chef aussi brave! Soundjata inspirait confiance aux sofas en leur donnant l'exemple, car le sofa aime voir le chef payer de sa personne.

Djata était maintenant un homme : le temps avait marché depuis le départ de Niani, le destin devait s'accomplir maintenant. Sogolon savait que l'heure était venue ; elle avait fait sa tâche ; elle avait nourri le fils que le monde attendait ; elle savait que sa mission était accomplie maintenant, et, que celle de Djata allait commencer. Un jour elle dit à son fils :

— Ne te fais pas d'illusions, ton destin n'est pas ici, ton destin est au Manding ; le moment est arrivé ; moi j'ai fini ma tâche, c'est la tienne qui va commencer, mon fils, mais il faut savoir attendre, chaque chose en son temps.

SOUMAORO KANTÉ,
LE ROI-SORCIER

Pendant que loin du pays natal le fils de Sogolon faisait ses premières armes, le Manding était tombé sous la domination d'un nouveau maître, Soumaoro Kanté le roi de Sosso.

Quand l'ambassade envoyée par Dankaran Touman arriva à Sosso, Soumaoro exigea que le Manding se reconnaisse tributaire de Sosso ; Balla Fasséké trouva à la cour de Soumaoro les délégués de plusieurs autres royaumes. Avec sa puissante armée de forgerons le roi de Sosso s'était rapidement imposé à tout le monde ; après la défaite du Wagadou et du Diaghan personne n'osa plus s'opposer à lui. Soumaoro descendait de la lignée des forgerons Diarisso, qui ont apprivoisé le feu et appris aux hommes le travail du fer, mais longtemps Sosso était resté un petit village de rien ; le puissant roi du Wagadou était le maître du pays ; petit à petit le royaume de Sosso s'était agrandi aux dépens du Wagadou et maintenant les Kanté dominaient leur ancien maître. Comme tous les maîtres du feu, Soumaoro Kanté était un grand sorcier ; la puissance de ses fétiches était terrible, c'était à cause de ces fétiches que tous les rois tremblaient devant lui, car il pouvait lancer la mort sur qui il voulait. Il avait fortifié Sosso avec une triple enceinte, au milieu de la ville s'élevait son palais qui dominait les paillotes des villages ; il s'était fait construire une immense tour de sept étages et il habitait au septième étage au milieu de ses fétiches, c'est pourquoi on l'appelait le « roi intouchable ».

Soumaoro laissa retourner le reste de l'ambassade, mais il retint Balla Fasséké ; il menaça de détruire Niani si Dankaran Touman ne faisait pas sa soumission ; effrayé, le fils de Sassouma fit aussitôt sa soumission et même il envoya au roi de Sosso sa sœur Nana Triban.

Un jour que le roi était absent, Balla Fasséké arriva à s'introduire jusque dans la chambre la plus secrète du palais, là où Soumaoro abritait ses fétiches. Quand il eut poussé la porte, Balla fut cloué de stupeur devant ce qu'il vit : les murs de la chambre étaient tapissés de peau humaine ; il y en avait une au milieu de la salle sur laquelle le roi s'asseyait ; autour d'une jarre, neuf têtes de morts formaient un cercle ; lorsque Balla avait ouvert la porte, l'eau de la jarre s'était troublée et un serpent monstrueux avait levé la tête. Balla Fasséké, qui était aussi versé dans la sorcellerie, récita des formules et tout dans la chambre se tint tranquille, et le fils de Doua continua son inspection : il vit au-dessus du lit, sur un perchoir, trois hiboux qui semblaient dormir ; au mur du fond étaient accrochées des armes aux formes bizarres : des sabres recourbés, des couteaux à triple tranchant. Il regarda attentivement les têtes de morts et reconnut les neuf rois tués par Soumaoro ; à droite de la porte il découvrit un grand balafon, grand comme jamais il n'en avait vu au Manding;

instinctivement il bondit et alla s'asseoir pour jouer du xylophone : le griot a toujours un faible pour la musique, car la musique est l'âme du griot.

Il se mit à jouer. Jamais il n'avait entendu un balafon aussi harmonieux ; à peine effleuré par la baguette, le bois sonore laissait échapper des sons d'une douceur infinie ; c'étaient des notes claires, pures comme la poudre d'or ; sous la main habile de Balla l'instrument venait de trouver un maître. Il jouait de toute son âme ; toute la chambre fut émerveillée ; comme de satisfaction, les hiboux somnolents, les yeux mi-clos se mirent à remuer doucement la tête. Tout semblait prendre vie aux accents de cette musique magique : les neuf têtes de morts reprirent leur forme terrestre, elles battaient des paupières en écoutant le grave « air des Vautours » ; de la jarre le serpent, la tête posée sur le rebord, semblait écouter. Balla Fasséké était tout heureux de l'effet de sa musique sur les habitants extraordinaires de cette chambre macabre, mais il comprenait bien que ce balafon n'était point comme les autres, c'était celui d'un maître-sorcier. Le roi Soumaoro était seul à jouer de cet instrument : après chaque victoire, il venait chanter ses propres louanges ; jamais griot n'y avait touché. Toutes les oreilles n'étaient pas faites pour en entendre la musique. Soumaoro était en rapport constant avec ce xylophone ; aussi loin qu'il se trouvât il suffisait qu'on y touchât pour qu'il sût que quelqu'un s'était introduit dans sa chambre secrète.

Le roi n'était pas loin de la ville ; il accourut vers son palais et monta au septième étage ; Balla Fasséké entendit des pas précipités dans le couloir.

Se ruant dans la chambre, sabre au poing, Soumaoro rugit : « Qui est là... ? C'est toi, Balla Fasséké !! »

Le roi écumait de colère ; ses yeux rouges
comme des braises ardentes reniflaient puissam-
ment ; mais sans perdre son sang-froid, le fils de
Doua sur un changement de note improvisa une
chanson au roi :

Le voilà, Soumaoro Kanté.
Je te salue, toi qui t'assieds sur la peau des rois.
Je te salue, Simbon à la flèche mortelle.
Je te salue, ô toi qui portes des habits de peau
humaine.

Cet air improvisé plut énormément à Soumaoro.
Jamais il n'avait entendu de si belles paroles. Les
rois sont des hommes : ce que le fer ne peut contre
eux, la parole le fait. Les rois aussi sont sensibles
à la flatterie : la colère de Soumaoro tomba, son
cœur se remplit de joie, il écoutait attentivement
cette musique suave :

Je te salue, ô toi qui portes des habits de peau hu-
[*maine.*
Je te salue, toi qui t'assieds sur la peau des rois.

Balla chantait et sa voix, qui était belle, faisait
la joie du roi de Sosso.
— Qu'il est doux de s'entendre chanter par
quelqu'un d'autre, dit le roi ; Balla Fasséké, tu ne
retourneras plus jamais au Manding car tu es, à
partir d'aujourd'hui, mon griot.
Ainsi Balla Fasséké, que le roi Nare Maghan
avait donné à son fils Soundjata, fut ravi à celui-ci

par Dankaran Touman ; maintenant c'était le roi de Sosso, Soumaoro Kanté qui, à son tour, ravissait le précieux griot au fils de Sassouma Bérété. La guerre devenait ainsi inévitable entre Soundjata et Soumaoro.

HISTOIRE

Nous arrivons maintenant aux grands moments de la vie de Soundjata. L'exil va finir, un autre soleil va se lever, c'est le soleil de Soundjata. Les griots connaissent l'histoire des rois et des royaumes, c'est pourquoi ils sont les meilleurs conseillers des rois. Tout grand roi veut avoir un chantre pour perpétuer sa mémoire, car c'est le griot qui sauve la mémoire des rois, les hommes ont la mémoire courte.

Les royaumes ont leur destin tracé comme les hommes ; les devins le savent qui scrutent l'avenir ; ils ont, eux, la science de l'avenir ; nous autres griots nous sommes les dépositaires de la science du passé, mais qui connait l'histoire d'un pays peut lire dans son avenir.

D'autres peuples se servent de l'écriture pour fixer le passé ; mais cette invention a tué la mémoire chez eux ; ils ne sentent plus le passé car l'écriture n'a pas la chaleur de la voix humaine. Chez eux tout le monde croit connaître alors que le savoir doit être un secret (1) ; les prophètes

---

(1) Voici une des formules qui revient souvent dans la bouche des griots traditionalistes. Ceci explique la parcimonie avec laquelle ces détenteurs des traditions histo-

n'ont pas écrit et leur parole n'en a été que plus vivante. Quelle piètre connaissance que la connaissance qui est figée dans les livres muets.

Moi, Djeli Mamadou Kouyaté, je suis l'aboutissement d'une longue tradition ; depuis des générations nous nous transmettons l'histoire des rois de père en fils. La parole m'a été transmise sans altération, je la dirai sans l'altérer car je l'ai reçue pure de tout mensonge.

Écoutez maintenant l'histoire de Soundjata, le Na'Kamma ; l'homme qui avait une mission à remplir.

Au moment où il s'apprêtait à revendiquer le royaume de ses pères, Soumaoro était le roi des rois, c'était le roi le plus puissant des pays du soleil couchant. Sosso, la ville forte, était le rempart des fétiches contre la parole d'Allah ; pendant longtemps Soumaoro défia le monde entier. Depuis son accession au trône de Sosso, il avait défait neuf rois, dont les têtes lui servaient de fétiches dans sa chambre macabre ; leur peau lui servait de sièges ; il se tailla des chaussures dans de la peau humaine. Soumaoro n'était pas un homme comme les autres, les génies s'étaient révélés à lui et sa puissance était incommensurable. Les sofas en nombre incalculable étaient aussi très braves car ils croyaient leur roi invincible.

Mais Soumaoro était un génie du mal ; sa puissance n'avait servi qu'à verser le sang ; devant lui rien n'était tabou : son plus grand plaisir était

riques dispensent leur savoir. Selon eux les Blancs ont rendu la science vulgaire ; quand un Blanc sait quelque chose tout le monde le sait. Il faudrait que nous arrivions à faire changer cet état d'esprit si nous voulons un jour savoir tout ce que les griots ne veulent pas livrer.

de fouetter publiquement des vieillards respec-
tables; il avait souillé toutes les familles; dans son
vaste empire, il y avait partout des villages peu-
plés des filles qu'il avait enlevées de force à leur
famille, sans mariage.

L'arbre que la tempête va renverser ne voit pas
l'orage qui se prépare à l'horizon; sa tête altière
brave les vents alors qu'il est près de sa fin; Soumaoro en était venu à mépriser tout le monde.
O! comme le pouvoir sait dénaturer l'homme; si
l'homme disposait d'un Mitcal, (2) du pouvoir
divin, le monde serait anéanti depuis longtemps.
Soumaoro en vint à ne reculer devant rien. Son
général en chef était son neveu le forgeron Fakoli
Koroma; c'était le fils de la sœur de Soumaoro,
nommée Kassia; Fakoli avait une femme extraordinaire, Keleya; c'était une grande sorcière tout
comme son mari; elle savait faire la cuisine mieux
que les trois cents femmes de Soumaoro réunies (3).
Soumaoro enleva Keleya et l'enferma chez lui;
Fakoli entra dans une colère épouvantable et vint
trouver son oncle.

— Puisque tu n'as pas honte de commettre
l'inceste en enlevant ma femme, à partir d'aujourd'hui je suis libéré de tous liens envers toi.
Je serai désormais du côté de tes ennemis, à mes
troupes je vais joindre les Malinkés révoltés et

(2) *Mitcal*. — Unité de poids arabe valant 4,25 g. En
malinké on emploie ce terme pour désigner la plus petite
fraction de quelque chose.
(3) Certaines traditions disent que la femme de Fakoli,
Keleya, à elle seule arrivait à régaler toute l'armée par sa
cuisine alors que les 300 femmes de Soumaoro n'arrivaient
jamais à faire manger les troupes à leur faim. Jaloux,
Soumaoro enleva Keleya; c'est l'origine de la défection de
Fakoli qui se rallie à Soundjata.

je vais te faire la guerre. Et il partit de Sosso avec les forgerons de la tribu de Koroma.

Ce fut comme un signal : toutes les haines, toutes les rancœurs si longtemps comprimées éclatèrent ; de partout on répondit à l'appel de Fakoli : Dankaran Touman, le roi du Manding, mobilisa aussitôt et marcha pour se joindre à Fakoli ; mais Soumaoro, laissant de côté son neveu, fondit sur Dankaran Touman qui abandonna la lutte et s'enfuit vers le pays de la Kola et dans ces régions forestières il fonda la ville de Kissidougou (4). Pendant ce temps Soumaoro, dans sa colère, châtiait toutes les villes révoltées du Manding. Il détruisit la ville de Niani et la réduisit en cendres. Les habitants maudissaient le roi qui s'était enfui.

C'est au milieu des calamités que l'homme s'interroge sur son destin ; après la fuite de Dankaran Touman, Soumaoro, par droit de conquête se proclama roi du Manding ; mais il ne fut pas reconnu par les populations ; la résistance s'organisa dans la brousse. On consulta les devins sur le sort du pays ; les devins furent unanimes pour dire que c'était l'héritier légitime du trône qui sauverait le Manding ; cet héritier était « l'homme à deux noms ». Les anciens de la cour de Niani se sou-

---

(4) On sait que dans la région forestière de Guinée (Sud de Kankan) on trouve beaucoup de Mansaré-Kéita ; ce sont, dit-on, les descendants de Dankaran Touman qui ont colonisé (mandinguisé) toute la région de Kissidougou. Ces Kéita, on les appelle « Farmaya-Kéita ». On dit que lorsque Dankaran Touman arriva dans le site de Kissidougou il s'écria : « nous sommes sauvés ». (An bara Kissi), d'où le nom donné à la ville. Kissi-dougou est donc étymologiquement « La ville du Salut ».

vinrent alors du fils de Sogolon, l'homme à deux noms n'étant autre que Maghan-Soundjata.

Mais où le trouver ? Personne ne savait où vivaient Sogolon et ses enfants ; depuis sept ans personne n'avait eu de leurs nouvelles. Il s'agissait maintenant de les retrouver. Néanmoins on constitua une équipe de gens qui devaient les chercher. Parmi eux il faut citer Kountoun Manian, un vieux griot de la cour de Nare Maghan ; Mandjan Bérété, un frère de Sassouma, qui n'avait pas voulu suivre Dankaran Touman dans sa fuite ; Singbin Mara Cissé, un marabout de la cour ; Siriman Touré, autre marabout, et enfin une femme, Magnouma. Selon les indications des devins il fallait chercher vers les pays du fleuve, c'est-à-dire vers l'est. Les chercheurs quittèrent le Manding tandis que la guerre faisait rage entre Sosso Soumaoro et son neveu Fakoli Koroma.

LES FEUILLES DE BAOBAB

A Mema, Soundjata apprit que Soumaoro avait
envahi le Manding et que son frère, Dankaran
Touman, était en fuite : il apprit aussi que Fakoli
tenait tête au roi de Sosso. Cette année-là le
royaume de Mema était en paix et le Kan-Koro-
Sigui du roi avait beaucoup de loisirs ; il allait
comme toujours à la chasse ; mais depuis que les
nouvelles du Manding étaient arrivées, Soundjata
était devenu sombre. Sogolon, devenue vieille,
était malade, Manding Bory avait quinze ans ;
c'était maintenant un adolescent plein de vie
comme son frère et ami Soundjata ; les sœurs de
Djata avaient grandi, Kolonkan était maintenant
une grande jeune fille en âge d'être mariée. Maintenant que Sogolon était âgée c'était elle qui faisait la cuisine ; elle allait souvent au marché de la
ville avec ses servantes.

Or un jour qu'elle était au marché, elle remarqua une femme qui offrait des nafiola et du gnougou, condiments ignorés des gens de Mema ;
ceux-ci regardaient avec étonnement la femme
qui les offrait ; Kolankan approcha ; elle reconnut
les feuilles de baobab et beaucoup d'autres légumes
que sa mère cultivait dans son potager à Niani.

— Des feuilles de baobab, murmura-t-elle ;

du gnougou, je connais ça, dit-elle en en prenant.

— Comment les connaissez-vous, princesse, fit la femme ? Voici des jours que j'en offre sur le marché de Mema, personne n'en veut ici.

— Mais je suis du Manding ; chez moi ma mère avait un potager et mon frère allait nous chercher des feuilles de baobab.

— Comment s'appelle ton frère, princesse ?

— Il s'appelle Sogolon Djata, le second s'appelle Manding Bory, j'ai une sœur aussi qui s'appelle Sogolon Djamarou.

Un homme s'était approché — il parla ainsi à Sogolon Kolonkan :

— Princesse, nous aussi nous sommes du Manding, nous sommes marchands et nous allons de ville en ville ; moi j'offre des kolas, tenez, je vous en donne. Princesse, ta mère peut-elle nous recevoir aujourd'hui ?

— Mais certainement, elle sera contente de causer avec des gens qui viennent du Manding. Ne bougez pas d'ici, je vais lui en parler.

Kolonkan, sans se soucier du scandale qu'il y avait à voir la sœur du Kan-Koro-Sigui courir à travers le marché, avait noué sa longue robe autour de sa taille et courait à toutes jambes vers l'enceinte royale.

— N'na, dit-elle haletante en s'adressant à sa mère, j'ai trouvé au marché des feuilles de baobab, du gnougou et beaucoup d'autres choses, regarde. Ce sont des marchands du Manding qui l'offrent ; il voudraient te voir.

Sogolon prit dans sa main des feuilles de baobab et de gnougou, les approcha de son nez comme pour en aspirer tout le parfum ; elle ouvrit de grands yeux et regarda sa fille.

— Ils viennent du Manding, dis-tu ? Cours au marché leur dire que je les attends, cours, ma fille.

Sogolon resta seule ; elle tournait et retournait dans sa main les précieux condiments quand elle entendit Soundjata et Manding Bory revenant de la chasse.

— Salut, mère, nous sommes de retour, dit Manding Bory.

— Salut, mère, dit Soundjata, nous t'apportons du gibier.

— Entrez et asseyez-vous. Et elle leur tendit ce qu'elle tenait en main.

— Mais c'est du gnougou, dit Soundjata, où as-tu trouvé ça ? Les gens d'ici n'en cultivent guère.

— Oui, ce sont des marchands du Manding qui en offrent au marché. Kolankan est allée les chercher car ils veulent me voir. Nous allons avoir des nouvelles du Manding.

Mais bientôt Kolonkan apparut ; elle était suivie de quatre hommes et d'une femme ; aussitôt Sogolon reconnut les notables de la cour de son mari. Les salutations commencèrent. On se salua avec tout le raffinement qu'exige la courtoisie du Manding. Enfin Sogolon dit :

— Voici mes enfants ; ils ont grandi loin du pays natal, maintenant parlez-nous du Manding.

Les voyageurs se consultèrent rapidement des yeux, puis Mandjan Bérété, le frère de Sassouma prit la parole en ces termes : « Je rends grâce à Dieu le Tout-Puissant puisque nous voilà devant Sogolon et ses enfants ; je rends grâce à Dieu car notre voyage n'aura pas été inutile. Voici deux mois que nous sommes partis du Manding ; nous allions de ville royale en ville royale, nous nous présentions comme des marchands ; sur les marchés, Magnouma offrait des légumes du Manding : dans ces pays de l'est les gens ignorent ces légumes ; mais à Mema notre plan s'est révélé juste : la personne qui a acheté du gnougou a pu nous renseigner sur votre sort et cette personne, pour comble de bonheur, se trouvait être Sogolon-Kolonkan.

» Je vous apporte des nouvelles bien tristes, hélas! c'est ma mission : Soumaoro Kanté, le puissant roi de Sosso a jeté la mort et la désolation sur le Manding ; le roi Dankaran Touman s'est enfui, le Manding est sans maître ; mais la guerre n'est pas terminée, les hommes courageux sont dans la brousse et livrent une guerre inlassable à l'ennemi ; Fakoli Koroma, le neveu du roi de Sosso mène un combat sans merci contre son oncle incestueux qui lui a ravi sa femme. Nous avons interrogé les génies et ils nous ont répondu que seul le fils de Sogolon pouvait délivrer le Manding : le Manding est sauvé puisque nous t'avons trouvé, Soundjata.

» Maghan Soundjata, je te salue, roi du Manding, le trône de tes pères t'attend. Quel que soit le rang que tu occupes ici, quitte tous ces honneurs et viens délivrer ta patrie, les braves t'attendent, viens restaurer l'autorité légale au Manding ; les mères en larmes ne prient que par ton nom, les rois rassemblés t'attendent, ton nom seul leur inspire confiance. Fils de Sogolon, ton heure est venue, les paroles du vieux Gnankouman Doua vont se réaliser car tu es le géant qui terrassera le géant Soumaoro. »

Après ces paroles un silence profond régna dans la chambre de Sogolon ; celle-ci, les yeux baissés, restait muette; Kolonkan et Manding Bory avaient les yeux fixés sur Soundjata.

— C'est bien fit celui-ci. Le temps n'est plus aux paroles; je vais demander mon congé au roi, nous retournerons aussitôt. Manding Bory, occupe-toi des envoyés du Manding. Le roi rentrera ce soir, et dès demain nous nous mettrons en route.

Soundjata se leva et tous les envoyés se levèrent et Djata sortit. Il était déjà roi.

Le roi rentra à Mema à la nuit tombante. Il était allé passer la journée dans une de ses résidences des environs. Le Kan-Koro-Sigui n'était pas à la réception du roi, personne ne sut où il se trouvait. Il rentra à la nuit; avant d'aller se coucher il alla voir Sogolon; elle avait la fièvre et tremblait sous ses couvertures. D'une voix faible elle souhaita bonne nuit à son fils. Quand Soundjata fut seul dans sa chambre, il se tourna vers l'est et parla ainsi:

— Dieu Tout-Puissant, le temps de l'action est arrivé. Si je dois réussir dans la reconquête du Manding, Tout-Puissant, faites que j'enterre ma mère en paix ici. Puis il se coucha.

Le matin, Sogolon Kedjou, la femme-buffle, rendit l'âme et toute la cour de Mema fut en deuil, car la mère de Kan-Koro-Sigui était morte. Soundjata vint trouver le roi qui lui présenta ses condoléances; il dit au roi:

— Roi, tu m'as donné l'hospitalité à ta cour quand j'étais sans abri. Sous tes ordres, j'ai fait mes premières armes. Je ne saurais te remercier de tant de bonté. Cependant ma mère est morte; mais je suis maintenant un homme et je dois retourner au Manding revendiquer le royaume de mes pères. Roi, je te rends les pouvoirs que tu m'as confiés, je demande mon congé : toutefois, avant de partir, permets que j'enterre ici ma pauvre mère.

Ces paroles déplurent au roi. Jamais il n'avait cru que le fils de Sogolon pourrait le quitter. Qu'allait-il chercher au Manding ? A Mema ne vivait-il pas heureux et respecté de tous ? N'était-il pas déjà l'héritier du trône de Mema ? Quel ingrat, pensait le roi, un fils d'autrui est toujours un fils d'autrui.

— Ingrat, dit le roi, puisqu'il en est ainsi va-t'en, sors de mon royaume, mais tu emporteras les restes de ta mère, tu ne l'enterreras pas dans Mema.

Après une pause il reprit :

— Ou bien, puisque tu tiens à enterrer ta mère, tu me paieras le prix de la terre où elle reposera.

— Je paierai plus tard, répondit Soundjata ; je paierai quand je serai au Manding.

— Non, maintenant, ou bien tu emporteras le corps de ta mère.

Alors le fils de Sogolon se leva et sortit. Il revint au bout de quelques instants, apporta au roi un panier rempli de débris de poterie, de plumes de pintades, de plumes de perdreaux et de morceaux de paille. Il dit :

— Eh bien, roi, voici le prix de la terre.

— Tu te moques, Soundjata, prends ton panier d'ordures, ce n'est pas là le prix de la terre. Qu'est-ce que cela veut dire ?

Alors un vieil arabe qui était conseiller du roi dit :

— Roi, donne à ce jeune homme la terre où doit reposer sa mère. Ce qu'il t'apporte a une signification : si tu refuses la terre, il te fera la guerre. Ces pots cassés et ces pailles signifient qu'il détruira ta ville ; on ne la reconnaîtra qu'aux débris de pots cassés; il en fera des ruines où perdreaux et pintades viendront s'ébrouer. Donne-lui la terre car s'il reconquiert son royaume, il te ménagera, ta famille et la sienne seront à jamais des alliées.

Le roi comprit. Il donna la terre et Sogolon reçut les derniers honneurs dans toute la pompe royale.

LE RETOUR

Chaque homme a sa terre : s'il est dit que ton
destin doit s'accomplir en tel pays, les hommes n'y
peuvent rien ; Mansa Tounkara ne pouvait pas
retenir Soundjata car le destin du fils de Sogolon
était lié à celui du Manding. Ni la jalousie d'une
marâtre, ni sa méchanceté, n'ont pu modifier un
instant le cours du grand destin.

Le serpent, ennemi de l'homme, n'a pas longue
vie, mais le serpent qui vit caché mourra vieux
à coup sûr ; Djata était de taille maintenant à
affronter ses ennemis. A dix-huit ans il avait la
majesté du lion et la force du buffle. Sa voix
était l'autorité, ses yeux étaient des braises ardentes ; ses bras étaient de fer : il était l'homme
du pouvoir.

Le roi de Mema Moussa Tounkara donna à
Soundjata la moitié de son armée ; les plus vail-
lants se désignèrent d'eux-mêmes pour suivre
Soundjata dans la grande aventure ; la cavalerie
de Mema, qu'il avait formée lui-même, constitua
son escadron de fer. A la tête de sa petite, mais
redoutable armée, Soundjata, habillé à la manière
musulmane de Mema sortit de la ville ; la population entière l'accompagnait de ses vœux ; il était
entouré des cinq messagers du Manding ; Manding

90

Bory chevauchait fièrement à côté de son frère. Les cavaliers Memaka formaient derrière Djata un escadron hérissé de fer. La troupe prit la direction de Wagadou ; Djata n'avait pas suffisamment de troupes pour s'opposer directement à Soumaoro, aussi le roi de Mema lui conseilla-t-il d'aller à Wagadou prendre la moitié des hommes du roi Soumala Cissé ; un courrier rapide y avait été envoyé ; aussi le roi de Wagadou vint lui-même à la rencontre de Djata avec ses troupes ; il donna au fils de Sogolon la moitié de sa cavalerie et bénit les armes. Alors Manding Bory dit à son frère :

— Djata, crois-tu pouvoir affronter maintenant Soumaoro ?

— Si petite que soit une forêt, dit Soundjata, on y trouvera toujours suffisamment de fibres pour lier un homme. Le nombre n'est rien, c'est la valeur qui compte. Avec ma cavalerie je me frayerai une route jusqu'au Manding.

Djata donna ses ordres : on se dirigerait vers le sud en contournant le royaume de Soumaoro ; le premier but à atteindre était Tabon, la ville à la porte de fer au milieu des montagnes. Soundjata avait promis à Fran Kamara qu'il passerait par Tabon avant de rentrer au Manding ; il espérait trouver son camarade d'enfance devenu roi. Ce fut une marche forcée ; aux étapes, les marabouts Singbin Mara Cissé et Mandjan Bérété racontaient à Djata l'histoire du roi Djoulou Kara Naïni et de plusieurs autres héros, mais entre tous Djata préférait Djoulou Kara Naïni, le roi de l'or et de l'argent qui traversa le monde d'ouest en est ; il voulait surpasser son modèle par l'étendue de ses terres et les richesses de son trésor.

Cependant Soumaoro Kanté, qui était un grand

sorcier, sut que le fils de Sogolon s'était mis en marche et qu'il venait réclamer le Manding ; les devins lui dirent de prévenir le mal et d'attaquer Soundjata ; mais la fortune aveugle l'homme ; Soumaoro s'occupait de battre Fakoli, le neveu révolté qui lui tenait tête. Avant que d'avoir livré la bataille, le nom de Djata était déjà connu dans tout le royaume ; ceux de la frontière de l'ouest qui avaient vu son armée descendre vers le sud répandaient des bruits extraordinaires. Monté sur le trône cette année-là, Fran Kamara, l'ami de Djata, s'était révolté à son tour contre Soumaoro. A la politique de sagesse du vieux roi de Tabon, Fran Kamara substituait une politique belliqueuse ; fier de ses troupes et surtout stimulé par l'arrivée prochaine de Soundjata, Fran Kamara, que l'on appelait maintenant Tabon Wana (le terrible de Tabon), avait lancé l'appel à tous les forgerons et Djallonkés montagnards.

Soumaoro envoya un détachement avec son fils Sosso-Balla pour barrer la route de Tabon à Soundjata ; Sosso-Balla avait à peu près le même nombre d'années que le fils de Sogolon ; prompt, il vint placer ses troupes à l'entrée des montagnes pour s'opposer à l'avance à Djata vers Tabon.

Le soir, après une longue journée de marche, Soundjata arriva devant la grande vallée qui conduit vers Tabon ; elle était toute noire d'hommes ; Sosso-Balla avait disposé ses hommes dans toute la vallée, quelques-uns étaient placés sur les hauteurs qui dominaient le passage ; quand Djata vit la disposition des hommes de Sosso-Balla, il se tourna vers son état-major en riant.

— Pourquoi ris-tu, frère, tu vois bien que la route est barrée.

92

— Oui, mais ce ne sont pas des fantassins qui peuvent m'arrêter dans ma course vers le Manding.

Les troupes s'arrêtèrent. Tous les chefs de guerre étaient d'avis qu'on attende le lendemain pour livrer bataille car, disaient-ils, les hommes sont fatigués.

— La bataille ne sera pas longue, les hommes auront le temps de se reposer : il ne faut pas laisser le temps à Soumaoro d'attaquer Tabon.

Soundjata fut intraitable ; les ordres furent lancés, les tam-tams de guerre commencèrent à résonner ; sur son superbe cheval Soundjata caracolait devant ses troupes ; il confia l'arrière-garde, composée d'une partie de la cavalerie de Wagadou, à son jeune frère Manding Bory ; ayant tiré son sabre il s'élança le premier en poussant son cri de guerre.

Les Sossos furent surpris de cette attaque soudaine. Tous croyaient que la bataille était pour le lendemain. L'éclair traverse le ciel moins rapidement, la foudre terrorise moins, la crue surprend moins que Djata ne fondit sur Sosso-Balla et ses forgerons. En un instant le fils de Sogolon était au milieu des Sossos tel un lion dans une bergerie ; les Sossos meurtris sous les sabots de son fougueux coursier hurlaient. Quand il se tournait à droite les forgerons de Soumaoro tombaient par dizaines, quand il se tournait à gauche son sabre faisait tomber les têtes comme lorsqu'on secoue un arbre aux fruits mûrs. Les cavaliers de Mema faisaient un carnage affreux, les longues lances pénétraient dans les chairs comme un couteau qu'on enfonce dans une papaye. Fonçant toujours en avant, Djata cherchait Sosso-Balla ; il l'aperçut, et tel un lion il s'élança vers le fils de Soumaoro le sabre levé ; son bras s'abattit mais à ce moment un guerrier Sosso s'était interposé entre Djata et Sosso-Balla ; il fut fendu en deux comme une calebasse. Sosso-Balla n'attendit pas et disparut au milieu de ses forgerons ; voyant leur chef en fuite, les Sossos lâchèrent pied et ce fut une terrible débandade. Avant que le soleil ne disparaisse derrière les montagnes il ne restait que Djata et ses hommes dans la vallée. Manding Bory, qui surveillait les hommes perchés sur les hauteurs, voyant que son frère avait l'avantage, lança quelques cavaliers à travers les monts pour déloger les Sossos. On poursuivit les Sossos jusqu'à la nuit tombante ; plusieurs d'entre eux furent faits prisonniers.

Tabon Wana arriva trop tard, la victoire était déjà au fils de Sogolon ; la rencontre des deux armées amies fut l'occasion d'un grand tam-tam nocturne dans la vallée même où les Sossos avaient été défaits ; Tabon Wana Fran Kamara fit apporter beaucoup de nourriture à l'armée de Djata. On dansa toute la nuit et au point du jour les vainqueurs entrèrent dans Tabon l'inexpugnable sous les acclamations des femmes montées sur les remparts.

La nouvelle de la bataille de Tabon se répandit dans les plaines du Manding à la manière d'une traînée de poudre qui prend feu ; on savait que Soumaoro n'était pas à la bataille, mais que ses troupes aient reculé devant Soundjata, cela suffit pour donner espoir à tous les peuples du Manding ; Soumaoro comprit qu'il fallait désormais compter avec ce jeune homme ; il avait appris les prophéties du Manding, mais il était encore trop confiant. Quand Sosso Balla revint avec ce qu'il avait pu sauver à Tabon il dit à son père :

— Père, il est pire qu'un lion, rien ne peut s'opposer à lui.

— Tais-toi, fils de malheur, avait dit Soumaoro, tu trembles devant un garçon de ton âge! Cependant les paroles de Balla impressionnèrent beaucoup Soumaoro. Il décida de marcher sur Tabon avec le plus gros de ses forces.

Le fils de Sogolon avait déjà arrêté ses plans : battre Soumaoro, détruire Sosso et rentrer triomphalement à Niani ; il disposait maintenant de cinq corps d'armée : la cavalerie et les fantassins de Mema, ceux de Wagadou et les trois tribus de l'armée de Tabon Wana-Fran Kamara. Il fallait au plus vite passer à l'offensive.

Soumaoro vint au-devant de Soundjata. La rencontre eut lieu à Nagueboria dans le Bouré ; comme à son habitude, le fils de Sogolon voulut aussitôt livrer bataille ; Soumaoro pensait attirer Soundjata dans la plaine, mais Djata ne lui en laissa pas le loisir. Obligé de livrer bataille, le roi de Sosso disposa ses hommes en travers de la vallée exiguë de Negueboria, les ailes de son armée occupant les pentes ; Soundjata adopta une disposition très originale, il forma un carré très serré avec, en première ligne, toute sa cavalerie ; les archers de Wagadou et de Tabon étaient placés à l'arrière. Soumaoro était sur l'une des collines dominant la vallée ; on le remarquait à sa haute taille et à son casque hérissé de cornes ; sous un soleil accablant, les trompettes sonnèrent, de part et d'autre les tam-tams, les bolons (1) reten-

(1) *Bolons.* — Le bolon est un instrument à cordes semblable au Kora mais ne comportant que 3 cordes alors que le Kora en compte 27. La musique de bolon est une musique

tirent, le courage entra dans le cœur des Sofas. Au pas de course Djata chargea et la vallée disparut bientôt dans un nuage de poussière rouge soulevé par les milliers de pieds et de sabots ; sans céder d'un pas les forgerons de Soumaoro arrêtèrent la vague.

Comme étranger à la bataille, Soumaoro Kanté, du haut de sa colline, regardait. Soundjata et le roi de Tabon frappaient de grands coups ; on remarquait Djata de loin à son turban blanc et Soumaoro pouvait voir la brèche qu'il ouvrait au milieu de ses troupes. Le centre était sur le point de céder sous la pression écrasante de Djata ; Soumaoro fit un signe et, des collines, les forgerons fondirent vers le fond de la vallée pour envelopper Soundjata. Alors, sans que Djata en plein lutte donnât le moindre ordre, le carré s'étira, s'étira en longueur et se transforma en un grand rectangle ; tout avait été prévu ; le mouvement fut si rapide que les hommes de Soumaoro arrêtés dans leur course folle ne purent se servir de leurs armes ; à l'arrière de Djata, les archers de Wagadou et ceux de Tabon, genoux à terre, lançaient au ciel des flèches qui retombaient drues, telle une pluie de fer, sur les rangs de Soumaoro. Comme un morceau de caoutchouc qu'on tire, la ligne de Djata montait à l'assaut des collines ; Djata aperçut Sosso-Balla et fonça, mais celui-ci se déroba et les guerriers du fils du buffle poussèrent un hourrah de triomphe. Soumaoro accourut : sa présence au centre ranima le courage des Sossos ; Soundjata l'aperçut, il voulait s'ouvrir un passage jusqu'à lui ; il frappait

de guerre alors que le Kora est un instrument pour musique de chambre.

à droite, frappait à gauche, piétinait ; les sabots meurtriers de son « Dafféké » (2) s'enfonçaient dans les poitrines des Sossos. Soumaoro était maintenant à portée de sa lance ; Soundjata fit cabrer son cheval et lança son arme ; elle partit en sifflant, et la lance rebondit sur la poitrine de Soumaoro comme sur un roc et tomba. Le fils de Sogolon tendit son arc, d'un geste Soumaoro attrapa la flèche au vol et la montra à Soundjata comme pour dire :

« Regarde, je suis invulnérable. »

Furieux, Djata arracha sa lance et tête baissée il fonça vers Soumaoro, mais en levant le bras pour frapper son ennemi, il s'aperçut que Soumaoro avait disparu. Manding Bory qui était à ses côtés lui dit en montrant la colline :

— Regarde, frère.

Soundjata vit, sur la colline, Soumaoro dressé sur son cheval à la robe noire. Comment avait-il fait, lui qui n'était qu'à deux pas de Soundjata, par quelle puissance s'était-il fait transporter sur la colline! Le fils de Sogolon s'arrêta de combattre pour regarder le roi de Sosso. Le soleil était déjà très bas, les forgerons de Soumaoro lâchèrent pied sans que Djata donnât l'ordre de poursuivre l'ennemi : soudain Soumaoro disparut.

Comment vaincre un homme capable de disparaître et de réapparaître où et quand il le veut! Comment toucher un homme invulnérable au fer! Telles étaient les questions que le fils de Sogolon se posait. On lui avait raconté beaucoup de choses sur Sosso-Soumaoro, mais il avait accordé peu de crédit à tant de racontars. Ne disait-on pas que

(2) « *Dafféké* ». — Nom emphatique pour désigner un beau coursier.

le roi de Sosso pouvait prendre soixante-neuf formes différentes pour échapper à ses ennemis : il pouvait, selon certains, se transformer en mouche en pleine bataille et venir taquiner son adversaire, il pouvait se fondre avec le vent quand ses ennemis le cernaient de trop près... et tant d'autres.

La bataille de Negueboria montra à Djata, s'il en était besoin, que pour vaincre le roi de Sosso il fallait d'autres armes.

Le soir de Negueboria, Djata était maître de la place, mais il était sombre. Il donna l'ordre de dresser le camp. Il s'éloigna du champ de bataille rempli des cris douloureux des blessés, Manding Bory et Tabon le suivirent des yeux. Il se dirigeait vers la colline où il avait vu Soumaoro après la miraculeuse disparition de celui-ci au beau milieu de ses troupes. Du haut de la colline il regarda s'éloigner dans un nuage de poussière la masse compacte des forgerons de Soumaoro.

— Comment m'a-t-il échappé, pourquoi ni ma lance, ni ma flèche ne l'ont-elles blessé ? se demandait-il. Quel est le génie protecteur de Soumaoro, quel est le mystère de sa puissance ?

Il descendit de son cheval, ramassa un peu de la terre que le cheval de Soumaoro avait foulée ; déjà la nuit était complète, le village de Negueboria n'était pas loin, et les Djallonkés sortirent en foule pour saluer Soundjata et ses hommes ; les feux étaient déjà allumés dans les camps et les soldats commençaient à préparer le repas ; mais quelle ne fut pas leur joie lorsqu'ils aperçurent la longue procession des filles de Negueboria portant sur la tête d'énormes calebasses de riz ; tous les sofas reprirent en chœur la chanson des jeunes filles. Le chef du village et les notables suivaient derrière. Djata descendit de sa colline et reçut le chef Djallonké de Negueboria, c'était un vassal de Tabon Wana ; pour les sofas la journée avait été une victoire puisque Soumaoro s'était enfui ; les tam-tams de guerre devinrent des tam-tams de joie, Djata laissa ses hommes fêter ce qu'ils appelaient une victoire. Il resta seul sous sa tente : dans la vie de chaque homme il y a un moment où le doute s'installe, l'homme s'interroge sur sa destinée, mais ce soir ce n'était pas encore le doute qui assaillait Djata, il pensait plutôt aux puissances à mettre en œuvre pour atteindre Sosso-Soumaoro ; il ne dormit pas de la nuit. Au point du jour on leva le camp ; en route, des paysans apprirent à Djata que Soumaoro et ses hommes allaient à pas forcés ; Djata fit marcher ses hommes sans relâche et le soir il fit arrêter l'armée pour prendre un peu de nourriture et de repos. C'était près du village de Kankigné ; les hommes dressèrent le camp au milieu de la plaine tandis que des gardes étaient placés sur les hauteurs. Comme d'habitude les hommes se groupèrent par tribus et s'affairèrent à la préparation de leur nourriture. La tente de Soundjata était dressée au milieu du camp, entourée par les huttes de fortune rapidement construites par les cavaliers de Mema.

Mais soudain on entendit le son des cors d'alerte ; les hommes eurent à peine le temps de prendre leurs armes que le camp était encerclé par les ennemis qui surgissaient des ténèbres. Les hommes de Mema étaient habitués à ces attaques-surprises, au camp, ils ne dessellaient jamais leurs chevaux. Chaque groupe ethnique devait se défendre, car le camp ne formait pas un bloc. Les ennemis pullulaient comme des sauterelles. Djata et les cavaliers de Mema n'ayant pu être encerclés se portèrent au secours de Tabon Wana qui semblait écrasé sous le nombre ; dans le nuit noire, Dieu seul sait comment les hommes se comportèrent. Le fils de Sogolon brisa l'étau qui étouffait Tabon Wana. Les archers de Wagadou s'étaient vite ressaisis ; ils lancèrent au ciel des torches et des flèches enflammées qui retombaient parmi les ennemis. Ce fut soudain une panique, les tisons brûlants s'écrasaient sur le dos nu des Sofas de Soumaoro, des cris de douleur emplirent le ciel et les Sossos commencèrent une retraite précipitée tandis que la cavalerie les taillait en pièces. Les Sossos accablés s'enfuirent, abandonnant encore beaucoup de captifs aux mains des hommes de Sogolon-Djata. Laissant à Tabon le soin de regrouper les hommes, celui-ci pourchassa l'ennemi avec sa cavalerie jusqu'au-delà du village de Kankigné. Quand il revint la lutte était terminée, l'attaque nocturne des Sossos avait causé plus de frayeur que de dégâts réels. Près de la tente de Tabon Wana on trouva par terre plusieurs crânes fendus. Le roi de Tabon ne frappait jamais un homme deux fois. La bataille de Kankigné ne fut pas une grande victoire, mais elle découragea les Sossos ; cependant la peur avait été grande dans les rangs de Djata. C'est pourquoi les griots chantent :

Kankigné Tabé bara djougonya (3).

<hr>

(3) *Kankigné*. — La tradition du Dioma présente la bataille de Kankigné comme une demi-défaite de Soundjata.
Kankigné Tabébara djougonya.
Djan va bara bogna mayadi.
Ce qui veut dire : « La bataille de Kankigné fut terrible. les hommes y furent moins dignes que des esclaves. »

LE NOM DES HÉROS

L'attaque-surprise de Kankigné avait mal
tourné pour Soumaoro ; elle ne réussit qu'à
accroître la fureur de Soundjata qui décima toute
l'arrière-garde Sosso. Soumaoro regagna Sosso
pour refaire ses forces, tandis que partout les villages ouvraient leurs portes à Soundjata. Dans tous
ces villages le fils de Sogolon recrutait des Sofas.
De même que la lumière devance le soleil, de
même la gloire de Djata, franchissant les montagnes, s'était répandue dans toutes les plaines du
Djoliba.

Tous les rois révoltés du pays de la Savane
s'étaient groupés à Sibi sous les ordres de Kamandjan, ce même ami d'enfance de Soundjata, devenu
lui aussi roi de Sibi. Kamandjan et Tabon Wana
étaient des cousins : le premier était le roi des
Kamara, dit Dalikīmbon, le second, roi des for-
gerons-Kamara, dit Sinikīmbon. Ainsi le trio de
Niani allait se retrouver. Fakoli le neveu de Soumaoro était allé jusque dans le sud recruter des
Sofas ; il tenait à se venger de son oncle et à reprendre sa femme, Keleya, celle qu'on appelait
« la femme aux trois cent trente trois calebasses
de riz ».

Soundjata était entré dans le pays des plaines, le pays du puissant Djobba ; les arbres qu'il voyait étaient ceux du Manding, tout montrait que le vieux Manding était proche.

Tous les alliés s'étaient donné rendez-vous dans la grande plaine de Sibi, tous les enfants de la savane étaient là, autour de leur roi ; ils étaient là les valeureux fils du Manding, attendant celui que le destin leur avait promis ; les bandaris (1), de toutes les couleurs, flottaient au-dessus des Sofas répartis en tribus.

Par qui commencer ? Par qui finir ?

Je commence par Siara Kouman Konaté. Siara Kouman Konaté, le cousin de Soundjata, était là ; Siara Kouman est l'ancêtre de ceux du pays de Toron. Ses troupes armées de lances formaient une haie compacte autour de lui.

Je citerai aussi Faony Kondé, Faony Diarra le roi du pays de Do, d'où venait Sogolon ; ainsi l'oncle était venu au-devant de son neveu ; Faony, roi de Do et de Kri était entouré par ses Sofas aux flèches mortelles ; ils formaient autour de son bandari un mur inébranlable.

— Je citerai également Mansa Traoré, le roi de la tribu des Traoré ; Mansa Traoré, le roi à la double vue, était à Sibi. Mansa Traoré voit ce qui se passe derrière, comme les autres hommes voient devant eux. Des Sofas, archers redoutables, carquois à l'épaule, se pressaient autour de lui.

(1) *Bandari* veut dire drapeau, fanion ; ce mot est emprunté à l'arabe ainsi que le mot raya qui désigne le drapeau porté jadis par les grands marabouts en déplacement. Actuellement encore les chefs de régions hissent un bandari au-dessus de leur case.

— Quant à toi, Kamandjan, je ne saurais t'oublier parmi ceux que j'exalte, tu es le père des Kamara Dalikīmbon. Les Kamara, armés de longues lances, dressaient autour de Kamandjan leurs piques menaçantes. Enfin tous les fils du Manding étaient là, tous ceux qui disent « N'ko », tous ceux qui parlent la langue claire du Manding étaient représentés à Sibi (2).

Quand le fils du buffle et son armée apparurent, les trompettes, les tambours, les tam-tams se mêlèrent aux voix des griots. Le fils de Sogolon était entouré de ses rapides cavaliers, son cheval avançait d'un pas dansant ; tous les regards étaient braqués sur l'enfant du Manding qui rayonnait de gloire et de beauté. Lorsqu'il fut à portée de la voix, Kamandjan fit un geste : les tambours, les tam-tams et les voix se turent ; sortant des rangs, le roi de Sibi s'avança vers Soundjata et cria :

— Maghan Soundjata, fils de Sogolon, fils de Nare Maghan, le Manding réuni t'attend. Salut à toi, je suis Kamandjan Kamara, roi de Sibi.

Levant le bras Maghan Soundjata :

— Je vous salue tous, fils du Manding, je te salue, Kamandjan. Je suis de retour et tant que je respirerai, jamais le Manding ne sera esclave. Plutôt la mort que l'esclavage. Nous vivrons libres car nos ancêtres ont vécu libres. Je vais venger l'affront que le Manding a subi.

Un hourrah de joie sorti de milliers de poitrines,

(2) *N'Ko* veut dire : « Je dis » en malinké. Le Malinké aime à se différencier des autres peuples à partir de sa langue ; la langue mandingue est pour lui la « langue claire » (Kangbé) par excellence. Tous ceux qui disent « N'ko » sont, en principe, malinké.

emplit tout le ciel. Les tam-tams et les tambours grondèrent tandis que les griots entonnaient l'hymne à l'arc de Balla Fasséké.

C'est ainsi que Sogolon-Djata rencontra les fils du Manding à Sibi.

NANA TRIBAN ET BALLA FASSEKE

Soundjata et sa puissante armée s'arrêtèrent quelques jours à Sibi ; la route du Manding était libre, mais Soumaoro n'était pas vaincu. Le roi de Sosso avait levé une puissante armée, ses Sofas se comptaient par milliers ; il avait levé des contingents dans tous les pays qu'il contrôlait et s'apprêtait à fondre à nouveau sur le Manding.

Sogolon-Djata avait minutieusement fait ses préparatifs à Sibi ; il avait maintenant suffisamment de Sofas pour affronter Soumaoro dans une plaine découverte ; mais il ne s'agissait pas d'avoir beaucoup de guerriers ; pour vaincre Soumaoro il fallait détruire d'abord sa puissance magique ; à Sibi, Soundjata se décida à consulter les devins ; les plus célèbres du Manding étaient là.

Sur leur conseil, Djata devait immoler cent taureaux blancs, cent béliers blancs et cent coqs blancs. C'est au milieu de ces hécatombes qu'on vint annoncer à Soundjata que sa sœur Nana Triban et Balla Fasséké ayant pu s'échapper de Sosso étaient arrivés. Alors Soundjata dit à Tabon Wana : « Si ma sœur et Balla ont pu s'échapper de Sosso, Soumaoro a perdu la bataille. »

Quittant le lieu des sacrifices Soundjata rentra à Sibi et rencontra sa sœur et son griot :

— Salut, mon frère, dit Nana Triban.

— Salut ma sœur.

— Salut Soundjata, dit Balla Fasséké.

— Salut mon griot.

Après de nombreuses salutations, Soundjata demanda aux fugitifs de raconter comment ils avaient pu tromper la vigilance d'un roi tel que Soumaoro. Mais Triban pleurait de joie. Du temps de leur enfance, elle avait marqué beaucoup de sympathie à l'enfant infirme qu'avait été Soundjata ; jamais elle n'avait partagé la haine de sa mère Sassouma Bérété.

— Tu sais, Djata, dit-elle en pleurant, moi je ne voulais pas que tu quittes le pays, c'est ma mère qui a tout fait. Maintenant Niani est détruit, les habitants sont dispersés, il y en a beaucoup que Soumaoro a emmenés en captivité à Sosso.

Elle pleura de plus belle. Djata était sensible à tout cela, mais il était pressé de savoir quelque chose sur Sosso. Balla Fasséké comprit et dit :

— Triban, essuie tes larmes et raconte, parle à ton frère. Tu sais il n'a jamais pensé du mal de toi, d'ailleurs tout cela était dans le destin.

— Quand tu quittas le Manding, mon frère m'envoya de force à Sosso pour être l'épouse de Soumaoro dont il avait grand peur. Je pleurai beaucoup les premiers jours, mais quand je vis que tout n'était peut-être pas perdu, je me résignai momentanément. Je devins aimable avec Soumaoro et je fus l'élue parmi ses nombreuses femmes. J'eus ma chambre dans la grande tour où il habitait lui-même. Je savais le flatter et le rendre jaloux. Bientôt je devins sa confidente, je feignis de te haïr, de partager la haine que ma mère te portait. On disait que tu reviendrais un jour, mais je lui affirmai que jamais tu n'aurais la prétention de revendiquer un royaume que tu n'avais jamais possédé et que tu étais parti pour ne plus revoir le Manding. Cependant j'étais en rapport constant avec Balla Fasséké, chacun de nous voulant percer le mystère de la puissance magique de Soumaoro. Une nuit j'attaquai à fond et je dis à Soumaoro : « Dis-moi, ô toi que les rois nomment en tremblant, dis-moi Soumaoro, es-tu un homme comme les autres, es-tu l'égal des génies qui protègent les humains ? Nul ne peut soutenir l'éclat de tes yeux, ton bras a la force de dix bras ; dis-moi, ô toi, roi des rois, dis-moi quel génie te protège afin que je l'adore moi aussi. » Ces paroles le remplirent d'orgueil, il me vanta lui-même la puissance de son « Tana », cette nuit même il m'introduisit dans sa chambre magique et me dit tout.

« Alors je redoublai d'ardeur à me montrer fidèle à sa cause, je semblai plus accablée que lui ; c'est même lui qui en venait à me dire de prendre courage et que rien n'était encore perdu. Pendant ce temps, en accord avec Balla Fasséké, je préparais la fuite inévitable. Personne ne me surveillait plus dans l'enceinte royale dont je connaissais les moindres détours. Et une nuit que Soumaoro était absent, je partis de la formidable tour, Balla Fasséké m'attendait à la porte dont j'avais la clef. C'est ainsi, frère, que nous avons quitté Sosso. »

Balla Fasséké enchaîna : « Nous sommes accourus vers toi ; la nouvelle de la victoire de Tabon me fit comprendre que le lion a brisé ses chaînes.

O fils de Sogolon, je suis la parole et toi l'action, maintenant ton destin commence. »

Soundjata était très heureux de retrouver sa sœur et son griot; il avait maintenant le chantre qui, par sa parole, devait perpétuer sa mémoire. Il n'y aurait pas de héros si les actions étaient condamnées à l'oubli des hommes, car nous agissons pour soulever l'admiration de ceux qui vivent, et provoquer la vénération de ceux qui doivent venir.

On apprit à Djata que Soumaoro avançait le long du fleuve et voulait lui barrer la route du Manding ; les préparatifs étaient au point, mais avant de quitter Sibi, Soundjata organisa un grand tam-tam dans le camp afin que Balla Fasséké, par sa parole, raffermisse le cœur des Sofas. Au milieu du grand cercle formé par les Sofas, Balla Fasséké exaltait les héros du Manding. Il dit au roi de Tabon :

— Toi dont le bras de fer peut fendre dix crânes à la fois. Toi, Tabon Wana, roi des Sininkimbon et des Djallonké, avant que la grande action ne soit engagée, peux-tu me montrer ce dont tu es capable ?

Les paroles du griot firent bondir Fran-Kamara ; sabre au poing, dressé sur son cheval rapide, il vint s'arrêter devant Djata et dit :

— Maghan Soundjata, je te renouvelle mon serment devant tous les maninka réunis : je jure de vaincre ou de mourir à tes côtés; le Manding sera libre ou les forgerons de Tabon seront morts.

Les tribus de Tabon poussèrent des cris d'approbation en brandissant leurs armes ; excité par les cris de ses Sofas, Fran Kamara éperonna son coursier et fonça en avant, les guerriers lui ouvrirent les rangs, il fonça sur un grand caïlcédrat et d'un coup de sabre, il fendit l'arbre géant comme on fend une papaye. L'armée ébahie cria :

— Wassa Wassa... Ayé... (1)

Puis, revenant vers Soundjata, le sabre levé, le roi de Tabon dit :

— Ainsi dans la plaine de Djoliba les forgerons de Tabon pourfendront ceux de Sosso. Et le héros vint se ranger près de Djata.

Se tournant vers Kamandjan, le roi de Sibi et cousin du roi de Tabon, Balla Fasséké dit :

— Où es-tu, Kamandjan, où est Fama-Djan (2). Où est le roi des Kamara Dalikïmbon. Kamandjan de Sibi, je te salue. Mais qu'aurai-je à dire de toi aux générations futures ?

Avant que Balla ait fini de parler, le roi de Sibi, poussant son cri de guerre, lança son fougueux coursier ; les Sofas, stupéfaits, regardaient l'étrange cavalier se diriger vers la montagne qui domine Sibi... Soudain un fracas emplit tout le ciel : la terre trembla sous les pieds des Sofas et un nuage de poussière rouge couvrit la montagne. Était-ce la fin du monde ?... Mais lentement la poussière se dissipa et les Sofas virent Kamandjan revenir, tenant un morceau de sabre ; la montagne de Sibi, transpercée de part en part, montrait un large tunnel.

L'admiration était à son comble : l'armée resta

(1) *Wassa-Wassa Ayé.* — Joie en malinké.
(2) *Fama-Djan* signifie « le Chef à la haute taille ». Plus tard, sous Kankou Moussa en particulier, « Fama » sera le titre des gouverneurs de province, le mot Farin sera réservé aux gouverneurs militaires ; Ké-Farin veut dire « guerrier valeureux ».

muette, le roi de Sibi, sans mot dire, vint se ranger près de Sogolon-Djata.

Balla Fasséké nomma tous les chefs et tous firent de grandes actions, puis l'armée confiante en ses chefs, quitta Sibi.

KRINA

Soundjata vint établir son camp à Dayala, dans la vallée du Djoliba ; c'était lui maintenant qui barrait la route du sud à Soumaoro Kanté. Soundjata et Soumaoro, jusque-là, s'étaient battus sans déclaration de guerre ; on ne fait pas la guerre sans dire pourquoi on la fait. Ceux qui se battent doivent au préalable faire une déclaration des griefs ; de même que le sorcier ne doit pas attaquer quelqu'un sans lui reprocher une mauvaise action, de même un roi ne doit pas se battre sans dire pourquoi il prend les armes.

Soumaoro s'avança jusqu'à Krina, près du village de Dayala sur le Djoliba, et décida d'affirmer ses droits avant d'engager le combat.

Soumaoro savait que Soundjata était aussi un sorcier ; au lieu d'envoyer une ambassade, il confia ses paroles à un de ses hiboux. L'oiseau des nuits vint se poser sur le toit de la tente de Djata et parla ; le fils de Sogolon à son tour envoya son hibou à Soumaoro. Voici le dialogue des rois-sorciers :

— Arrête, jeune homme. Je suis désormais roi du Manding ; si tu veux la paix, retourne d'où tu viens, dit Soumaoro.

— Je reviens, Soumaoro, pour reprendre mon

royaume. Si tu veux la paix tu dédommageras mes alliés et tu retourneras à Sosso, où tu es roi.

— Je suis roi du Manding par la force des armes ; mes droits ont été établis par la conquête.

— Alors je vais t'enlever le Manding par la force des armes, je vais te chasser de mon royaume.

— Apprends donc que je suis l'igname sauvage des rochers, rien ne me fera sortir du Manding.

— Sache aussi que j'ai dans mon camp sept maîtres forgerons qui feront éclater les rochers ; alors, igname, je te mangerai.

— Je suis le champignon vénéneux qui fait vomir l'intrépide.

— Moi je suis un coq affamé, le poison ne me fait rien.

— Sois sage, petit garçon, tu te brûleras le pied car je suis la cendre ardente.

— Moi, je suis la pluie qui éteint la cendre, je suis le torrent impétueux qui t'emportera.

— Je suis le fromager puissant qui regarde de bien haut, la cime des autres arbres.

— Moi, je suis la liane étouffante qui monte jusqu'à la cime du géant des forêts.

— Trêve de discussion ; tu n'auras pas le Manding.

— Sache qu'il n'y a pas place pour deux rois sur une même peau, Soumaoro, tu me laisseras la place.

— Eh bien, puisque tu veux la guerre, je vais te faire la guerre. Sache cependant que j'ai tué neuf rois dont les têtes ornent ma chambre, ma foi, tant pis, ta tête prendra place auprès de celles des téméraires tes semblables.

— Prépare-toi, Soumaoro, car le mal qui va s'abattre sur toi et les tiens ne finira pas de sitôt.

Ainsi Soundjata et Soumaoro ont parlé. Après la guerre des bouches, les sabres devaient donner les conclusions. Le fils de Sogolon était dans sa tente quand on vint lui annoncer l'arrivée de Fakoli, le neveu révolté de Soumaoro. Tous les hommes se mirent en armes, les chefs de guerre rangèrent leurs hommes; quand tout fut en ordre dans le camp, Djata et les chefs mandinka reçurent Fakoli suivi de ses guerriers; devant Soundjata, Fakoli s'arrêta et parla ainsi :

— Je te salue Soundjata, je suis Fakoli Koroma, le roi de la tribu des forgerons Koroma; Soumaoro est le frère de ma mère Kassia. J'ai pris les armes contre mon oncle, car Soumaoro m'a outragé; sans craindre l'inceste il a poussé l'impudence jusqu'à me ravir ma femme Keleya.

» Toi, tu viens reconquérir le royaume de tes pères, tu combats Soumaoro, nous avons même but et je viens me mettre sous tes ordres. Je t'apporte mes forgerons aux bras puissants, je t'apporte des Sofas dont le cœur ignore la peur. Soundjata, mes hommes et moi sommes à toi. »

Balla, le griot de Soundjata, dit :

— Fakoli, viens prendre place parmi tes frères que l'injustice de Soumaoro a frappés, viens, le justicier te rejoint dans son sein. En confiant ta cause au fils de Sogolon tu ne pouvais mieux faire.

Soundjata fit un signe que le griot avait bien parlé, mais il ajouta :

— Je défends le faible, je défends l'innocent, Fakoli, tu as subi une injustice, je te rendrai justice, mais j'ai autour de moi mes lieutenants, je voudrais savoir leur avis.

Tous les chefs de guerre tombèrent d'accord;

113

la cause de Fakoli devenait la cause de Djata ; il fallait rendre justice à l'homme qui venait implorer justice.

Ainsi Soundjata reçut Fakoli Dà-Ba, Fakoli à la grande bouche, parmi ses chefs de guerre.

Soundjata voulait en finir avec Soumaoro avant l'hivernage, il leva son camp et marcha sur Krina où campait Soumaoro. Celui-ci comprit que le moment de la bataille décisive était venu. Soundjata disposa ses hommes sur la petite colline qui domine la plaine. La grande bataille était pour le lendemain.

Le soir, pour remonter le courage des hommes, Djata donna une grande fête, il tenait à ce que ses hommes se réveillent contents le matin ; on tua plusieurs bœufs ; ce soir-là Balla Fasséké, devant toute l'armée, évoqua l'histoire du vieux Manding. Il apostropha ainsi Soundjata assis au milieu de ses lieutenants :

— C'est à toi maintenant que je m'adresse, Maghan Soundjata. Je te parle, roi du Manding, toi vers qui accourent des rois dépossédés. Voici venir les temps que les génies t'ont prédits. Soundjata, les royaumes et les empires sont à l'image de l'homme, comme lui ils naissent, grandissent et disparaissent ; chaque souverain incarne un moment de cette vie. Jadis les rois du Wagadou ont étendu leur royaume sur tous les pays habités par l'homme noir, mais le cercle s'est fermé et les Wagadou-Cissé ne sont plus que de petits princes dans une terre désolée. Aujourd'hui un autre royaume se dresse, puissant, le royaume Sosso : des rois humiliés ont porté leurs tributs à Sosso, l'arrogance de Soumaoro ne connaît plus de bornes, sa cruauté est à la hauteur de son ambition. Mais Soumaoro dominera-t-il le monde ? Sommes-nous condamnés, nous griots du Manding, à transmettre aux générations futures les humiliations que le roi de Sosso veut infliger au pays ? Non, réjouissez-vous, enfants du « Clair-Pays », la royauté de Sosso est d'hier seulement, celle du Manding date du temps de Bilali ; chaque royaume a son enfance, Soumaoro veut devancer le temps, Sosso va s'effondrer sous lui comme un cheval fatigué sous son cavalier.

» Toi, Maghan, tu es le Manding ; comme toi il a eu une enfance longue et difficile : seize rois t'ont précédé sur le trône de Niani, seize rois ont régné avec des fortunes diverses, mais de chefs de villages les Keita sont devenus chefs de tribu, puis rois ; seize générations ont affermi le pouvoir ; tu tiens au Manding comme le fromager tient au sol, par des racines puissantes et profondes. Pour affronter la tempête il faut à l'arbre des racines longues, des tranches noueuses, Maghan-Soundjata, l'arbre n'a-t-il pas grandi ?

» Sache, fils de Sogolon, qu'il n'y a pas place pour deux rois autour d'une même calebasse de riz ; quand un coq étranger arrive à la basse-cour, le vieux coq lui cherche querelle et les poules dociles attendent que le nouveau venu s'impose ou qu'il s'incline. Tu es venu au Manding, eh bien ! impose-toi ; la force se fait sa propre loi et le pouvoir ne souffre aucun partage.

» Mais écoute ce que tes ancêtres ont fait afin que tu saches ce que tu as à faire.

» Bilali, le deuxième de ce nom, a conquis le vieux Manding ; Latal Kalabi a conquis le pays entre Djoliba et Sankarani. Lahibatoul Kalabi, d'illustre mémoire, en allant à La Mecque, a attiré sur le Manding la bénédiction divine ; Mamadi Kani des chasseurs a fait des guerriers, il a donné la force armée au Manding ; son fils Bamarin, Tagnokelin, le roi vindicatif avec cette armée a fait craindre le Manding ; Maghan Kon Fatta, dit Nare Maghan, à qui tu dois le jour, partout dans le Manding a fait régner la paix et les mères heureuses ont donné au Manding une jeunesse nombreuse.

» Tu es le fils de Nare Maghan, mais tu es aussi le fils de ta mère Sogolon la femme-buffle, devant qui les sorciers impuissants reculent de frayeur. Tu as la force et la majesté du lion, tu as la puissance du buffle.

» Je t'ai dit ce que les générations futures apprendront sur tes ancêtres, mais que pourrons-nous raconter à nos fils, afin que ta mémoire reste vivante, qu'aurons-nous à enseigner de toi à nos fils ? Quels exploits sans précédent, quelles actions inouïes, par quels coups d'éclat nos fils regretteront-ils de n'avoir pas vécu au temps de Soundjata ?

» Les griots sont les hommes de la parole, par la parole nous donnons vie aux gestes des rois; mais la parole n'est que parole, la puissance réside dans l'action; sois homme d'action. Ne me réponds plus par ta bouche, demain montre-moi dans la plaine de Krina ce que tu veux que je raconte aux générations à venir. Demain, permets-moi de chanter l'air du vautour sur les corps des milliers de Sossos que ton sabre aura couchés avant le soir. »

C'était à la veille de Krina. Ainsi Balla Fasséké rappela à Soundjata l'histoire du Manding pour qu'il se montre, le matin, digne de ses ancêtres.

Au point du jour, Fakoli vint réveiller Djata

pour lui dire que Soumaoro avait commencé à sortir ses Sofas de Krina. Le fils de Sogolon parut, habillé en roi chasseur : il portait un pantalon collant de couleur ocre, il donna ordre de disposer les Sofas en travers de la plaine; pendant que les chefs s'affairaient, Manding Bory et Nana Triban entrèrent sous la tente de Djata.

— Frère, dit Manding Bory, as-tu préparé l'arc ?

— Oui, répondit Djata, regarde...

Il décrocha son arc du mur et la flèche fatale. Ce n'était point une flèche de fer, c'était du bois avec au bout un ergot de coq blanc. L'ergot de coq était le Tana de Soumaoro, secret que Nana Triban avait su arracher au roi de Sosso.

— Frère, dit Nana Triban, Soumaoro sait maintenant que je me suis enfuie de Sosso, tâche de l'approcher car il te fuira tout au long de la bataille.

Ces paroles de Nana Triban laissèrent Djata inquiet, mais Balla Fasséké, qui venait de rentrer sous la tente, dit à Soundjata que le devin avait vu en songe la fin de Soumaoro.

Le soleil s'était levé de l'autre côté du fleuve et éclairait déjà toute la plaine ; les troupes de Soundjata se déployaient en travers de la plaine depuis le fleuve ; mais l'armée de Soumaoro était si nombreuse que d'autres Sofas restés à Krina étaient montés sur les remparts pour voir la bataille ; déjà on remarquait de loin Soumaoro à sa haute coiffure ; les ailes de son immense armée touchaient le fleuve d'une part et les collines de l'autre. Comme à Negueboria, Soundjata ne déploya pas toutes ses forces ; les archers de Wagadou et les Djallonkés se tenaient en arrière,

prêts à déborder sur la gauche vers les collines
à mesure que le combat se généraliserait. Fakoli
Koroma et Kamandjan étaient en première ligne
avec Soundjata et sa cavalerie.

Soundjata, de sa voix puissante, cria : « An
gnewa » ; (1) l'ordre fut répété de tribu en tribu et
l'armée se mit en marche. Soumaoro se tenait à
droite avec sa cavalerie.

Djata et sa cavalerie chargèrent avec fougue,
ils furent arrêtés par les cavaliers de Diaghan
et une lutte à mort s'engagea. Tabon Wana et les
archers de Wagadou déployèrent leurs rangs vers
les collines, la bataille se généralisa dans toute
la plaine tandis qu'un soleil implacable montait
dans le ciel. Les chevaux de Mema sont d'une
agilité extraordinaire, ils s'élançaient, les pattes
de devant levées, et fondaient sur les cavaliers
Diaghanka qui roulaient par terre, meurtris sous
les sabots des chevaux. Bientôt ceux de Diaghan
lâchèrent pied et se replièrent précipitamment
vers l'arrière, le centre ennemi était rompu.

C'est alors que Manding Bory arriva à bride
abattue pour annoncer à Soundjata que Soumaoro
ayant fait donner toute sa réserve s'était abattu
sur Fakoli et ses forgerons ; visiblement Soumaoro
tenait à châtier son neveu ; déjà accablés sous le
nombre, les hommes de Fakoli commençaient à
céder du terrain. La bataille n'était pas encore
gagnée.

Les yeux rouges de colère, Soundjata entraîna
sa cavalerie vers la gauche du côté des collines
où Fakoli supportait vaillamment les coups de son
oncle. Mais partout où passait le fils du buffle, la

(1) *An gnewa :* En avant.

mort se réjouissait. La présence de Soundjata rétablit un moment l'équilibre, cependant les Sofas de Sosso étaient trop nombreux. Le fils de Sogolon cherchait Soumaoro ; il l'aperçut au milieu de la mêlée ; Soundjata frappait à droite et à gauche ; les Sossos s'écartaient sur son passage ; le roi de Sosso, qui ne voulait pas se laisser approcher, se replia loin derrière ses hommes, mais Soundjata le suivait des yeux ; il s'arrêta et tendit son arc. La flèche partit, elle toucha Soumaoro à l'épaule, l'ergot de coq ne fit que l'égratigner, mais l'effet fut immédiat et Soumaoro sentit ses forces l'abandonner ; ses regards rencontrèrent ceux de Soundjata ; tremblant maintenant comme un homme saisi par la fièvre, le vaincu leva les yeux vers le soleil, vit passer au-dessus de la mêlée un grand oiseau noir et il comprit. C'était l'oiseau du malheur.

— L'oiseau de Krina, murmura-t-il.

Le roi de Sosso poussa un grand cri et tournant la bride il s'enfuit. Les Sossos virent le roi et ils s'enfuirent à leur tour. Ce fut la déroute ; la mort planait sur la grande plaine ; le sang coulait par mille plaies. Qui peut dire combien de Sossos ont trouvé la mort à Krina ? La déroute était complète. Soundjata se lança alors à la poursuite de Soumaoro.

Le soleil était au milieu de sa course. Fakoli avait rejoint Djata et tous deux chevauchaient à la poursuite des fugitifs. Soumaoro avait beaucoup d'avance. Quittant la plaine, le roi de Sosso s'était lancé à travers la brousse sèche, suivi par son fils Balla et quelques chefs Sosso ; quand la nuit tomba Soundjata et Fakoli s'arrêtèrent à un hameau ; ils y prirent un peu de repos et de nourriture. Aucun des habitants n'avait vu Soumaoro ; Soundjata et Fakoli reprirent la poursuite dès qu'ils furent rejoints par quelques cavaliers de Mema. Ils galopèrent toute la nuit. Au point du jour Djata apprit de quelques paysans que des cavaliers étaient passés quand il faisait encore noir. Le roi de Sosso fuyait toutes les agglomérations, il savait que les habitants, le voyant en fuite, n'hésiteraient plus à se saisir de lui pour entrer dans les bonnes grâces du nouveau maître. Soumaoro n'était plus suivi que par son fils Balla. Après avoir changé de monture au point du jour, le roi de Sosso galopait toujours vers le nord.

Soundjata trouvait difficilement la trace des fugitifs, Fakoli était aussi décidé que Djata, il connaissait davantage ce pays. De ces deux hommes il était difficile de savoir qui nourrissait le plus de haine contre Samaoro : l'un vengeait son pays humilié, l'autre était poussé par l'amour d'une femme. A midi, les chevaux de Soundjata et de Fakoli étaient à bout de souffle ; les poursuivants s'arrêtèrent à Bankoumana ; ils prirent un peu de nourriture ; Djata apprit que Soumaoro se dirigeait vers Koulikoro ; il ne s'était donné que le temps de changer de monture. Soundjata et Fakoli repartirent aussitôt. Fakoli dit :

— Pour aller à Koulikoro, je connais un raccourci, mais c'est une piste difficile, nos chevaux seront fatigués.

— Allons-y, fit Djata.

Ils se jetèrent sur une piste difficile, ravinée ; coupant à travers champs ils allaient maintenant à travers la brousse. Pointant un doigt devant lui, Fakoli dit :

120

— Regarde là-bas les collines qui annoncent Koulikoro, nous avons gagné du temps.

— Tant mieux fit simplement Djata.

Cependant les chevaux étaient fatigués, ils allaient moins vite et décollaient péniblement leurs sabots de terre; comme aucun village n'était en vue, Djata et Fakoli mirent pied à terre pour laisser souffler les montures ; Fakoli qui avait en selle un petit sac de mil leur donna à manger. Les deux hommes se reposèrent sous un arbre. Fakoli disait même que Soumaoro, qui avait emprunté une route aisée mais longue, n'arriverait qu'à la nuit tombante à Koulikoro ; il parlait en homme qui avait chevauché à travers tout le pays.

Ils reprirent leur course et gravirent bientôt les collines ; arrivés au sommet ils aperçurent deux cavaliers au fond de la vallée qui se dirigeaient vers la montagne.

— Les voilà ! cria Djata.

Le soir tombait, les rayons du soleil effleuraient déjà le sommet de la montagne de Koulikoro ; quand Soumaoro et son fils virent deux cavaliers derrière eux, ils coupèrent court et commencèrent à gravir la montagne ; le roi de Sosso et son fils Balla semblaient avoir des chevaux plus frais. Djata et Fakoli redoublaient d'efforts.

Les fugitifs étaient à portée de lance, Djata leur cria :

— Arrêtez, arrêtez-vous !

Comme Djata, Fakoli voulait prendre Soumaoro vivant. L'époux de Keleya fit un crochet et déborda Soumaoro à droite, il fit faire un bond à son cheval ; il allait mettre la main sur son oncle, mais celui-ci lui échappa par un brusque détour ; dans son élan Fakoli buta sur Balla et tous deux roulèrent à terre. Fakoli se releva et saisit son cousin tandis que Soundjata, lançant sa pique de toutes ses forces fit s'écrouler le cheval de Soumaoro. Le vieux roi se releva et la course à pied commença. Soumaoro était un vigoureux vieillard, il escaladait la montagne avec beaucoup d'agilité ; Djata ne voulait ni le blesser, ni le tuer ; il voulait le prendre vif.

Le soleil venait de disparaître complètement ; par deux fois le roi de Sosso échappa à Djata ; Soumaoro arrivé au sommet de Koulikoro, dévala la pente suivi par Djata. A droite il vit la grotte béante de Koulikoro, sans hésiter il entra dans la grotte noire. Soundjata s'arrêta devant la grotte. A ce moment arriva Fakoli, il venait de lier les mains à Sosso-Balla son cousin.

— Là, fit Soundjata, il est entré dans la grotte.

— Mais elle communique avec le fleuve, dit Fakoli.

On entendit des pas de chevaux, c'était un détachement des cavaliers de Mema ; aussitôt le fils de Sogolon en envoya quelques-uns vers le fleuve, et fit garder toute la montagne. La nuit était complète. Soundjata entra à Koulikoro avec Fakoli. Là, il attendit le reste de l'armée (2).

La victoire de Krina fut éclatante, les débris de l'armée de Soumaoro allèrent s'enfermer dans Sosso. Mais c'en était fait de l'empire Sosso. De partout des rois envoyaient leur soumission à

(2) Sur la fin du roi de Sosso les versions sont nombreuses. Ici c'est la version du Hamana. Celle du Dioma (Sud de Siguiri) dit que Soumaoro poursuivi par Soudjata invoqua une dernière fois ses génies protecteurs, leur demandant de ne point le laisser tomber aux mains de Soundjata ; aussi fut-il transformé en pierre sur le mont de

Soundjata ; le roi de Guidimakhan envoya à Djata une riche ambassade, en même temps il donnait sa fille en mariage au vainqueur ; les ambassades affluaient à Koulikoro, mais quand Djata fut rejoint par toute l'armée, il marcha sur Sosso la ville de Soumaoro, Sosso la ville imprenable, la ville des forgerons habiles à manier la lance.

En l'absence du roi et de son fils, Noumounkeba, un chef de tribu dirigea la défense de la ville ; rapidement il y avait entassé tout ce qu'il put trouver comme vivres dans la campagne environnante.

Sosso était une ville superbe ; elle dressait dans la campagne son triple rempart aux tours effrayantes ; la ville comportait 188 places fortes, le palais de Soumaoro se dressait, telle une tour géante, au-dessus de toute la ville. Sosso n'avait qu'une porte, gigantesque et en fer, œuvre des fils du feu. Noumounkeba espérait fixer Soundjata devant Sosso, il avait suffisamment de vivres pour tenir pendant un an.

Le soleil commençait à disparaître lorsque Sogolon-Djata parut devant Sosso-la-Superbe ; Djata et son état-major, du haut d'une colline, contemplèrent la formidable ville du roi-sorcier ; l'armée campa dans la plaine en face de la grande porte de la ville et les feux s'allumèrent dans le camp. Djata voulait prendre Sosso en une ma-

Koulikoro. D'autres traditions disent que Soumaoro, atteint par l'ergot de coq à Krina, disparut sur le champ de bataille même.

Toujours est-il qu'après Krina on n'entendit plus parler du roi de Sosso ; Balla son fils, capturé par Fakoli, fut emmené en captivité au Manding.

tinée ; il fit manger double ration à ses hommes et les tam-tams rugirent toute la nuit pour exciter les vainqueurs de Krina.

Au point du jour, les tours des remparts étaient noires de Sofas ; d'autres étaient placés sur les remparts mêmes, c'étaient des archers. Les maninka sont maîtres dans l'art d'enlever une ville ; Soundjata plaça en première ligne les Sofas du Manding ; ceux qui tenaient les échelles étaient sur le second rang, protégés par les boucliers des lanciers. Le gros de l'armée devait attaquer la porte de la ville. Quand tout fut prêt, Djata donna l'ordre d'attaquer ; les tambours retentirent, les cors sonnèrent et telle une marée la première ligne mandingue s'ébranla en poussant de grands cris ; les boucliers levés au-dessus de la tête, les maninka avancèrent jusqu'au pied du mur, alors les Sossos commencèrent à faire pleuvoir de grosses pierres sur les assaillants ; à l'arrière, les archers de Wagadou lançaient des flèches vers les remparts. L'attaque se généralisa, la ville était attaquée sur tous les points. Soundjata avait une réserve terrible : c'étaient les archers, que le roi des Bobos lui avait envoyés peu avant Krina ; les archers Bobo sont les meilleurs archers du monde. Genoux en terre les archers lancèrent des flèches enflammées au-dessus des remparts ; dans les murs, les cases en paille prirent feu et la fumée monta en tourbillon ; les échelles étaient dressées contre l'enceinte ; les premiers Sofas maninka étaient déjà à son faîte ; les Sossos pris de panique en voyant la ville en feu hésitèrent un instant ; la tour monumentale surplombant la porte céda ; les forgerons de Fakoli s'en étaient rendus maîtres ; ils s'introduisirent dans la ville où les cris des femmes et des enfants achevaient d'affoler les Sossos ; ils ouvrirent la porte au gros de l'armée.

Alors commença le massacre. Des femmes et des enfants au milieu des Sossos en fuite imploraient la grâce des vainqueurs ; Djata et sa cavalerie était maintenant devant la formidable tour-palais de Soumaoro, Noumounkeba se sentant perdu sortit pour combattre, le sabre levé il fonça sur Djata mais celui-ci l'esquiva et rattrapant le bras armé du Sosso, il le fit agenouiller tandis que le sabre tombait. Il ne le tua point, il le remit entre les mains de Manding Bory.

Le palais de Soumaoro était maintenant à la merci de Soundjata ; pendant que partout les Sossos imploraient quartier, Soundjata, précédé par Balla Fasséké, entra dans la tour de Soumaoro ; le griot connaissait le palais de sa captivité dans ses moindres recoins ; il conduisit Soundjata à la chambre magique de Soumaoro.

Quand Balla Fasseké ouvrit la porte de la chambre, celle-ci avait changé d'aspect depuis que Soumaoro avait été touché par la flèche fatale ; les habitants de sa chambre avaient perdu toute force : le serpent de la jarre agonisait, les hiboux du perchoir se débattaient lamentablement par terre ; tout se mourait dans la maison du sorcier ; c'en était fait de la puissance de Soumaoro. Soundjata fit descendre tous les fétiches de Soumaoro ; devant le palais on rassembla toutes les femmes de Soumaoro, toutes des princesses enlevées de force à leur famille. Les captifs, mains liées au dos étaient déjà rassemblés. Ainsi qu'il l'avait voulu, Soundjata avait pris Sosso en une matinée. Quand tout fut hors de la ville, quand on eut sorti tout ce qu'il y avait à prendre, Soundjata donna l'ordre d'en achever la destruction : on mit le feu aux dernières maisons ; les prisonniers furent employés à la destruction des murailles. Ainsi, comme le voulait Djata, Sosso fut détruite jusque dans ses fondements.

Oui, Sosso fut rasée ; elle a disparu la ville orgueilleuse de Soumaoro ; une affreuse solitude règne sur les lieux où des rois venaient s'humilier devant le roi-sorcier ; la trace des cases a disparu, du palais aux sept étages de Soumaoro il ne reste plus rien. Champ de désolation, Sosso est maintenant le lieu où les perdreaux et les pintades viennent s'ébrouer.

Depuis que ces lieux ont perdu leurs habitants, plusieurs années se sont écoulées, plusieurs fois des lunes ont traversé le ciel, le bouréin (3), l'arbre de la désolation, étend ses broussailles épineuses et pousse insolemment dans la capitale de Soumaoro. Sosso l'orgueilleuse n'est qu'un souvenir qui ne revit que dans la bouche des griots ; les hyènes y viennent pleurer la nuit, les lièvres et les biches viennent brouter sur l'emplacement du palais de Soumaoro, le roi qui portait des vêtements de peaux humaines.

Sosso a disparu de la terre et c'est Soundjata, le fils du buffle, qui a rendu ces lieux à la solitude.

Après la destruction de la capitale de Soumaoro, le monde ne connaissait plus d'autre maître que Sogolon-Djata.

---

(3) *Bouréin*. — Arbuste nain qui pousse dans les terrains pauvres. C'est une variété de Gardenia de la savane. Le Bouréin est interdit comme bois de cuisine, c'est un arbuste qui porte malheur.

L'EMPIRE

Tandis que Sosso succombait sous la pioche de ses propres fils, Soundjata marchait sur Diaghan ; le roi de Diaghan avait été l'allié le plus redoutable de Soumaoro ; après Krina il était encore resté fidèle à la cause de Soumaoro ; il s'était enfermé dans sa ville, fier de sa cavalerie. Mais comme un ouragan, Djata s'abattit sur Diaghan, la ville des marabouts (1) ; comme Sosso, Diaghan fut prise en une matinée, Soundjata fit raser la tête à tous les jeunes gens et en fit des Sofas.

Soundjata avait divisé son armée en trois corps : le premier, sous les ordres de Fakoli Koroma, guerroyait dans le Bambougou ; le second, sous les ordres de Fran Kamara et composé de ses forgerons, guerroyait dans les montagnes du Fouta ; Soundjata et le gros de l'armée marchèrent sur Kita la grande ville.

Kita Mansa était un roi puissant, il était sous la protection des génies de la grande montagne qui domine la ville de Kita, Kita Kouron. Au milieu

(1) *Diaghan*. — Il s'agit de la ville de Dia : d'après les traditions Dia était la ville des grands marabouts. Les Diawara régnèrent à Dia, ce nom signifie étymologiquement « Fauve de Dia ».

de la montagne il y avait une petite mare aux eaux magiques. Qui arrivait jusqu'à cette mare et buvait de son eau devenait puissant ; mais les génies de la mare étaient très méchants ; seul le roi de Kita avait accès à la mare mystérieuse.

Soundjata campa à l'est de Kita et demanda au roi sa soumission ; fier de la protection des génies de la montagne, Kita Mansa répondit avec arrogance à Djata. Le fils de Sogolon avait dans son armée des devins infaillibles ; sur leurs conseils, Soundjata invoqua les génies de Kita-Kourou ; il leur immola cent bœufs blancs, cent béliers blancs, cent coq blancs ; tous les coqs expirèrent sur le dos face au ciel : les génies avaient répondu favorablement. Alors Soundjata n'hésita plus ; dès le matin il donna le signal de l'attaque. Les Sofas à l'assaut chantaient l'hymne à l'arc ; Balla Fasséké, habillé en grand griot, chevauchait à côté de Djata ; au premier assaut la porte céda ; il n'y eut point de massacre ; hommes, femmes et enfants, tout fut épargné, mais Kita Mansa avait été tué devant son palais. Soundjata lui fit des funérailles royales. Soundjata ne fit aucun prisonnier à Kita ; les habitants — c'étaient des Kamara — devinrent ses alliés.

Dès le lendemain, Soundjata voulut se rendre dans la montagne pour sacrifier aux génies et les remercier de sa victoire sur Kita ; toute l'armée le suivait. La montagne de Kita est raide comme un mur. Soundjata voulait en faire le tour pour recevoir la soumission des nombreux villages situés au pied de Kita-Kourou. A Boudofou, village des Kamara, il y eut une grande fraternisation entre les tribus de Kamandjan et les habitants ; on dansa et on mangea autour de la pierre sacrée de Boudofou ; aujourd'hui encore les Kamara sacrifient à ce rocher, mais seulement les Kamara qui ont su respecter le « Dio » des ancêtres ; le soir l'armée campa à Kouron-Koto sur le côté de la montagne opposé à Kita, Djata fut bien accueilli par le roi Mansa Kourou ; là, plusieurs tribus fraternisèrent.

Au point du jour Soundjata, suivi de Balla Fasséké et de quelques membres de la tribu royale du Manding, se rendit au pied d'un grand rocher ; il sacrifia cent coqs blancs aux génies de la montagne ; puis Djata, accompagné par Balla Fasséké seulement, alla à la recherche de la mare ; il la trouva au milieu de la montagne ; il s'agenouilla au bord de l'eau et dit :

— Génie de l'eau, o Maître du Moghoya-Dji, maître de l'eau magique, je t'ai sacrifié cent taureaux, je t'ai sacrifié cent béliers, je t'ai sacrifié cent coqs, tu m'as donné la victoire, mais je n'ai pas détruit Kita ; je viens, successeur de Kita Mansa, boire l'eau magique, le moghoya-Djigui.

Il puisa de l'eau dans ses deux mains et but ; il trouva l'eau bonne et il en but trois fois, puis il se lava le visage.

Quand Djata revint parmi ses hommes, ses yeux avaient un éclat insoutenable ; il rayonnait tel un astre, le Moghoya-Dji l'avait transfiguré !

De Krou-Koto, Soundjata rentra à Kita ; le voyage autour de la montagne avait duré deux jours ; à Kita il trouva des délégations des royaumes vaincus par Fakoli et Tabon Wana ; le roi du Manding séjourna quelque temps à Kita ; il allait souvent à la chasse avec son frère Manding Bory et Sibi-Kamandjan ; les gens de Kita ne chassaient jamais le gibier de la montagne par crainte des génies ; Soundjata lui, chassait dans la montagne car il était devenu l'élu des génies ; Simbon dès son jeune âge, il était suffisamment versé dans l'art de Sané ni Kondolon.

Ses compagnons et lui se baignaient dans une source de la montagne ; les gens de Kita connaissent encore cette source et l'entourent de beaucoup de vénération (2).

De Kita, Soundjata et sa grande armée se dirigèrent vers Do, le pays de sa mère Sogolon. A Do, Soundjata fut reçu comme l'oncle reçoit son neveu. Djata et Balla Fasséké se rendirent dans la célèbre plaine de Ourantamba ; un membre de la tribu des Traoré les accompagnait ; les habitants de Do avaient élevé un grand tertre à la place où le buffle avait expiré. Soundjata sacrifia sur le tertre un coq blanc ; quand le coq eut expiré sur le dos, un grand tourbillon se leva, et arracha des arbres en se dirigeant vers l'ouest.

— Regarde, dit Balla Fasséké, le tourbillon va vers le Manding.

— Oui, il est temps d'y retourner.

De Do, Soundjata envoya une riche ambassade à Mema, chargée de riches présents. Ainsi il s'acquittait de la dette contractée, l'ambassade fit savoir au roi que les Cissé-Tounkara et les Keita seraient alliés à jamais.

C'est de Do que Soundjata ordonna à tous ses généraux de se rencontrer à Kà-ba, sur le Djoliba, dans le pays du roi de Sibi ; Fakoli avait achevé

<hr />

(2) Sur le séjour de l'Empereur à Kita c'est la version du Dioma que j'ai suivie ; les Kéita de Dioma prétendent que leur ancêtre, un petit-fils de Soundjata, est parti de Kita pour venir s'installer dans le Dioma. Kita fut l'une des grandes villes de l'Empire.

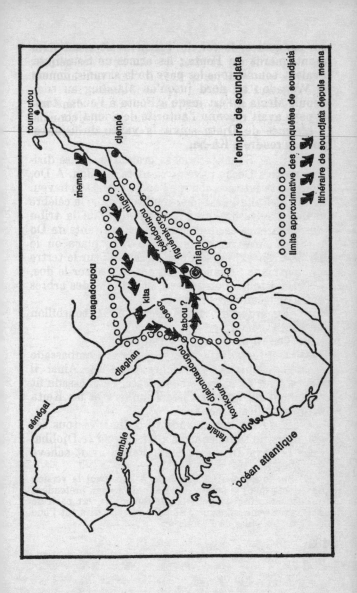

l'empire de soundjata

ooooo limite approximative des conquêtes de soundjata

➤➤➤ itinéraire de soundjata depuis mema

toumoutou

mema

djenné

niger

niani

ouagadougou

bélédougou

kita

fossa

tabou ?

dieghan

diolonkadougou

konkouré

séné gal

gambie

fatala

océan atlantique

ses conquêtes, le roi de Tabon avait soumis les montagnards du Fouta ; les armes de Soundjata avaient soumis tous les pays de la savane ; depuis le Wagadou au nord jusqu'au Manding au sud, depuis Mema à l'est jusqu'à Fouta à l'ouest, tout le pays avait reconnu l'autorité de Soundjata.

L'armée de Djata suivit la vallée du Djoliba pour se rendre à Kà-ba.

KOUROUKAN-FOUGAN
OU
LE PARTAGE DU MONDE

En sortant de Do, le pays aux dix mille fusils, Soundjata, longeant la vallée du fleuve, se rendit à Kà-ba; toutes les armées convergeaient sur Kà-ba. Fakoli et Tabon Wana rentraient à Kà-ba chargés de butin. Sidi Kamandjan avait devancé Soundjata pour préparer la grande assemblée qui devait se réunir à Kà-ba, ville située dans les terres du pays de Sibi.

Kà-ba était une petite ville fondée par Niagalin M'Bali Faly, chasseur de Sibi, et par Sounoumba Traoré, un pêcheur; depuis toujours Kà-ba appartenait au roi de Sibi; aujourd'hui on trouve aussi des Keita à Kà-ba, mais les Keita ne sont venus là qu'après Soundjata (1). Kà-ba est situé sur la rive gauche du Djoliba, c'est par Kà-ba que passe la route du vieux Manding.

Au nord de la ville s'étend une vaste clairière :

(1) On croit généralement que Kà-ba (actuelle Kangaba) fut une des plus anciennes résidences des Kéita; la tradition locale affirme que les Kéita ne s'y sont installés qu'après Soundjata ; Kangaba est une fondation des Kamara de Sibi et des Traorés ; les Kéita qui s'y installèrent viennent de Niani, il s'agit de deux frères, le plus jeune Bemba Kanda laissa son frère à l'étape de Figuera Koro vint s'installer à Kà-ba et s'allia avec les Kamara ; par la suite plusieurs familles de Kéita vinrent s'y établir.

Fouga ; c'est là que devait se réunir la grande
assemblée. Le roi Kamandjan fit nettoyer toute
la clairière, une grande estrade fut préparée ;
avant même l'arrivée de Djata les délégations
de tous les peuples vaincus s'étaient rendues à
Kà-ba ; on construisit à la hâte des cases pour
recevoir tout ce monde ; quand toutes les armées
furent réunies, on dut dresser les camps dans
la grande plaine située entre le fleuve et la ville.
Au jour fixé, les troupes furent disposées sur
la vaste place aménagée ; comme à Sibi chaque
peuple était réuni autour du Bandari de son
roi ; Soundjata avait revêtu ses habits de grand
roi musulman ; Balla Fasséké, grand maître des
cérémonies, plaça les alliés autour du grand siège
de Djata ; tout était en place : les Sofas, formant
un vaste demi-cercle hérissé de lances, se tenaient
immobiles ; les délégations de peuples avaient
été installées au pied de l'estrade. Un grand
silence régnait. Balla Fasséké, à la droite de Soundjata, tenant sa grande lance, s'adressa ainsi à la
foule : « La paix règne aujourd'hui dans tout le
pays, qu'il en soit toujours ainsi... »

— Amina, (2) répondit la foule, puis le héraut
reprit :

— Je vous parle, peuples réunis. A ceux du
Manding, je transmets le salut de Maghan Soundjata ; salut à ceux de Do, salut à ceux de Tabon,
salut à ceux de Wagadou, salut à ceux de Méma,
salut à ceux de la tribu de Fakoli, salut aux
guerriers Bobos et enfin salut à ceux de Sibi
et de Kà-ba. A tous les peuples réunis, Soundjata
dit « Salut ».

(2) *Amina.* — Amen.

» Qu'on veuille bien m'excuser si j'ai fait quelque omission, je suis ému devant tant de monde rassemblé.

» Peuples, nous voici, après des années de dures épreuves, réunis autour de notre sauveur, du restaurateur de la paix et de l'ordre. Du levant au couchant, du nord au sud, partout ses armes victorieuses ont installé la paix. Je vous transmets le salut du vainqueur de Soumaoro, Maghan Soundjata, roi du Manding.

« Mais pour respecter la tradition, je dois d'abord m'adresser à notre hôte à tous, Kamandjan, le roi de Sibi ; Kamandjan, roi de Sibi, Djata te salue et te donne la parole. »

Kamandjan, qui se trouvait assis près de Soundjata, se leva et descendit de l'estrade ; il monta à cheval et brandit son sabre en criant :

— Je vous salue tous, guerriers du Manding, de Do, de Tabon, de Mema, de Wagadou, de Bobo, de Fakoli... ; guerriers, la paix est revenue dans nos foyers, puisse Dieu nous la conserver longtemps.

— Amina, répondirent les guerriers et la foule. Le roi de Sibi poursuivit :

— Sur terre l'homme souffre un temps, mais jamais éternellement ; nous voici au bout de dures épreuves. Nous sommes en paix : Dieu soit loué. Mais cette paix nous la devons à un homme qui, par son courage et sa vaillance, a su conduire nos troupes à la victoire.

» Qui de nous, seul, eût osé affronter Soumaoro ? Oui nous étions tous lâches, combien de fois nous lui avons versé tribut ! L'insolent s'est cru tout permis ! Quelle famille n'a pas été déshonorée par Soumaoro ? Il a enlevé nos filles et nos femmes et nous étions plus lâches que des femmes. Il a poussé l'insolence jusqu'à enlever la femme de son neveu Fakoli ! Nous étions anéantis et humiliés devant nos enfants. Mais c'est au milieu de tant de calamités que soudain notre destin a changé ; un soleil nouveau s'est levé à l'est. Après la bataille de Tabon nous nous sommes sentis hommes, nous avons compris que Soumaoro était un être humain et non pas l'incarnation du diable, car il n'était plus invincible. Un homme venait à nous, il avait entendu nos gémissements et il venait à notre secours comme un père quand il voit son enfant en pleurs. Cet homme le voici : Maghan Soundjata, l'homme aux deux noms que les devins ont annoncé.

» C'est à toi que je m'adresse maintenant, fils de Sogolon, toi le neveu des valeureux guerriers de Do. C'est de toi désormais que je tiendrai mon royaume car je te reconnais comme mon souverain, ma tribu et moi nous nous remettons entre tes mains. Je te salue, chef suprême, je te salue, Fama des Fama, (3) je te salue Mansa. »

Le hourrah qui accueillit ces paroles était si puissant que l'on entendit douze fois l'écho répéter la formidable clameur. Kamandjan, d'une main vigoureuse, planta sa lance en terre devant l'estrade et dit :

« Soundjata, voici ma lance, elle est à toi.

Puis il monta s'asseoir à sa place. Ensuite un à un les douze rois du clair-pays de la savane se levèrent et proclamèrent à leur tour Soundjata, Mansa ; douze lances royales étaient plantées

(3) *Fama des Fama.* — Roi des rois.

devant l'estrade. Soundjata était devenu empereur; le vieux Tabala de Niani annonça au monde que les pays de la savane s'étaient donné un roi unique. Quand le Tabala impérial eut cessé de résonner, Balla Fasséké, le grand maître des cérémonies, reprit la parole après les ovations de la foule.

— Soundjata, Maghan Soundjata, roi du Manding, au nom des douze rois du clair-pays, je te salue Mansa. La foule cria :

— Wassa — Wassa... Ayé.

C'est au milieu de tant de joie que Balla Fasséké créa le grand hymne « *Niama* » que les griots chantent encore :

> *Niama,   Niama,   Niama,*
> *Toi, tu sers d'abri à tout.*
> *Tout, sous toi vient chercher refuge.*
> *Et toi, Niama,*
> *Rien ne te sert d'abri.*
> *Dieu seul te protège* (4)

La fête commença, les musiciens de tous les pays étaient là ; à tour de rôle chaque peuple vint se produire au pied de l'estrade sous le

---

(4) Ce chant est l'un des plus célèbres que Balla Fasséké ait créé sur Soundjata ; il traduit l'idée que le fils de Sogolon a été le rempart derrière lequel tout le peuple a trouvé refuge. Dans d'autres chants également attribués à Balla Fasséké on compare constamment Soundjata à Alexandre (cf. l'enregistrement sur disque par Kéita Fodeba : Disque « Vogue » L. D. M. 30 082 — Soundjata). J'ai tendance quant à moi, à attribuer ces chants à des griots du temps de Kankou Moussa (1307-1332). En effet à cette époque, les griots connaissaient beaucoup mieux l'Histoire générale, du moins à travers les écrits arabes et surtout le Koran.

regard impassible de Soundjata ; puis commencèrent les danses guerrières : les sofas de tous les pays s'étaient alignés sur six rangs dans un grand cliquetis d'arc et de lances entrechoquées, les chefs de guerre étaient à cheval. Les guerriers faisaient face à la gigantesque estrade ; sur un signal de Balla Fasseké les musiciens, massés à droite de l'estrade, attaquèrent : les lourds tam-tams de guerre rugirent, les bolons lancèrent des notes sourdes tandis que la voix du griot donnait le ton à la foule pour l'hymne à l'arc : les lanciers, avançant comme des hyènes dans la nuit, tenaient leur lance au-dessus de leur tête, les archers de Wagadou et de Tabon, marchant à pas feutrés, semblaient s'embusquer derrière les buissons ; ils se relevaient soudain et décochaient des flèches sur des ennemis fictifs ; devant la grande estrade les Kèkè-Tigui, ou chefs de guerre, faisaient exécuter des pas de danses à leurs chevaux sous le regard de Mansa, les chevaux hennissaient, se cabraient et, vaincus par les éperons, s'agenouillaient, se relevaient et effectuaient de petites cabrioles ou bien grattaient le sol de leurs sabots.

Le peuple enthousiasmé criait l'hymne à l'arc, battait des mains ; les corps en sueur des guerriers brillaient sous le soleil tandis que le rythme éreintant des tam-tams leur arrachaient des cris stridents. Mais bientôt on fait place à la cavalerie, arme favorite de Djata : les cavaliers de Mema lancent leur sabre en l'air et le rattrapent au vol en poussant de grands cris. Un sourire de contentement se dessina sur les lèvres de Soundjata, il était content de voir sa cavalerie manœuvrer avec tant de dextérité.

Dans l'après-midi la fête changea d'aspect : elle débuta par le défilé des prisonniers et du butin ; les mains liées au dos et alignés sur trois rangs, les prisonniers Sossos firent leur entrée dans le grand cercle, on leur avait rasé le crâne à tous ; ils tournaient à l'intérieur du cercle et passaient au pied de l'estrade : les yeux baissés, les pauvres captifs marchaient silencieux, accablés d'injures par la foule délirante ; derrière venaient les rois restés fidèles à Soumaoro et qui n'avaient pas voulu faire leur soumission ; ils avaient aussi le crâne rasé, mais ils étaient à cheval, afin que tout le monde puisse les voir. Enfin, tout à fait derrière, venait Sosso-Balla qu'on avait placé au milieu des fétiches de son père. Les fétiches avaient été chargés sur des ânes ; la foule poussa des grands cris d'horreur à la vue des habitants de la chambre macabre de Soumaoro ; on se montrait avec terreur la jarre au serpent, le balafon magique et les hiboux du roi de Sosso ; Balla, le fils de Soumaoro, les mains liées, était sur un cheval, il n'osait lever les yeux sur cette foule qui, autrefois, tremblait d'effroi au seul bruit de son père. On entendait dans la foule :

— Chacun son tour, Sosso-Balla, lève un peu la tête, petit effronté.

Ou bien ceci :

— Te doutais-tu qu'un jour tu serais esclave, vil personnage.

— Regarde tes fétiches impuissants, invoque-les donc, fils de sorcier !

Quand Sosso-Balla fut devant l'estrade, Djata eut un mouvement ; il venait de se rappeler la disparition mystérieuse de Soumaoro dans la montagne : il devint sombre. Son griot Balla

Fasséké le remarqua. Aussi parla-t-il ainsi :

— Le fils payera pour le père. Soumaoro peut remercier Dieu puisqu'il est déjà mort.

Quand le défilé fut terminé, Balla Fasséké fit taire tout le monde : les Sofas se rangèrent, les tam-tams se turent.

Soundjata se leva, un silence de cimetière couvrit toute la place. Le Mansa s'avança jusqu'au bord de l'estrade. Alors Soundjata parla en Mansa : seul Balla Fasséké pouvait l'entendre, car un Mansa ne parle pas comme un crieur public.

— Je salue tous les peuples ici réunis.

Et Djata les cita tous ; arrachant de terre la lance de Kamandjan, roi de Sibi, il dit :

— Je te rends ton royaume, roi de Sibi, tu l'as mérité par ta bravoure. Je te connais depuis l'enfance, ta parole est aussi franche que ton cœur est sans détours.

» Je scelle aujourd'hui à jamais l'alliance des Kamara de Sibi et des Keita du Manding. Que ces deux peuples soient désormais des frères. La terre des Keita sera désormais la terre des Kamara, le bien des Kamara sera désormais le bien des Keita.

» Que jamais le mensonge n'existe plus entre un Kamara et un Keita. Dans toute l'étendue de mon empire que partout les Kamara soient comme chez eux. »

Il remit la lance à Kamandjan et le roi de Sibi se prosterna devant Djata, comme on fait quand un Fama vous honore.

Soundjata prit la lance de Tabon Wana et dit :

— Fran Kamara mon ami, je te rends ton royaume. Qu'à jamais Djallonkés et Maninka soient alliés ; tu m'as accueilli chez toi, que partout dans le Manding les Djallonkés soient reçus en amis. Je te laisse les terres que tu as conquises, tes enfants et les enfants de tes enfants grandiront désormais à la cour de Nani et ils seront traités comme les princes du Manding.

Un à un tous les rois reçurent leur royaume des mains mêmes de Soundjata, chacun s'inclina devant lui comme on s'incline devant un Mansa.

Soundjata prononça tous les interdits qui président encore aux relations entre tribus, à chacun il assigna sa terre, il établit les droits de chaque peuple et il scella l'amitié des peuples : les Kondé, du pays de Do, devinrent désormais les oncles des Kéita de la famille impériale, car ceux-ci, en souvenir du mariage fécond de Naré Maghan et de Sogolon, devaient prendre femme à Do ; les Tounkara et les Cissé devinrent les cousins à plaisanteries des Kéita, les Cissé, les Bérété, les Touré furent proclamés grands marabouts de l'empire. Aucun peuple ne fut oublié à Kouroukan Fougan, chacun eut sa part au partage ; à Fakoli Koroma, Soundjata donna le royaume de Sosso dont la plupart des tribus furent asservies ; la tribu de Fakoli, les Koroma, que d'autres appellent Doumbouya ou Sissoko, cette tribu eut le monopole de la forge, du travail du fer ; Fakoli reçut également de Soundjata une partie des terres situées entre le Bafing et le Bagbé. Le Wagadou et le Mema conservèrent leurs rois qui continuèrent à porter le titre de Mansa, mais ces deux royaumes reconnurent la souveraineté du Mansa suprême. Les Konaté de Toron devinrent les cadets des Keita, à l'âge mûr un Konaté pouvait s'appeler Kéita.

Quand le fils de Sogolon eut fini de distribuer

les terres et le pouvoir, se tournant vers Balla
Fasséké son griot il dit :

— Quant à toi, Balla Fasséké mon griot, je
te fais grand maître des cérémonies ; les Kéita
désormais choisiront leur griot dans ta tribu,
chez les Kouyaté. Je donne le droit aux Kouyaté
de faire des plaisanteries sur toutes les tribus, en
particulier sur la tribu royale des Kéita.

Ainsi parla le fils de Sogolon à Kouroukan
Fougan. Depuis ce temps sa parole respectée est
devenue la loi, la règle pour tous les peuples qui
ont été représentés à Kà-ba.

Ainsi, à Kouroukan Fougan, Soundjata avait
partagé le monde : il réserva à sa tribu le pays
béni de Kita ; mais les Kamara habitants de la
région restèrent maîtres de la terre.

Si tu vas à Kà-ba, va voir la clairière de Kouroukan Fougan, tu y verras planté un linké qui
perpétue le souvenir de la grande assemblée qui
vit le partage du monde.

NIANI

Après cette grande assemblée, Soundjata resta encore quelques jours à Kà-ba ; pour le peuple ce furent des jours de fête. Djata, tous les jours, faisait égorger pour lui des centaines de bœufs enlevés à l'immense trésor de Soumaoro ; sur la grande place de Kà-ba, les jeunes filles de la ville venaient déposer au pied des miradors de grandes calebasses de riz et de viande ; quiconque pouvait venir manger à sa faim et s'en aller ; bientôt Kà-ba fut peuplé de gens venus de tous les horizons, attirés par l'abondance. Un an de guerre avait vidé tous les greniers, chacun venait prendre sa part sur les réserves du roi de Sosso. On dit même que certaines personnes, durant le séjour de Djata à Kà-ba avaient établi leurs pénates sur la place même : c'était la belle saison, elles dormaient la nuit sur les miradors et au réveil, trouvaient des calebasses de riz à leurs pieds. C'est l'époque où l'on chanta en l'honneur de Soundjata l'hymne à l'abondance.

> *Il est venu*
> *Et le bonheur est venu.*
> *Soundjata est là*
> *Et le bonheur est là.*

Mais il était temps de retrouver le Manding natal. Soundjata réunit son armée dans la plaine, chaque peuple donna un contingent pour accompagner le Mansa à Niani. A Kà-ba tous les peuples se séparèrent dans l'amitié et dans la joie de la paix retrouvée.

Soundjata et son monde devaient traverser le Djoliba pour pénétrer dans le vieux Manding ; on eut dit que toutes les pirogues du monde s'étaient données rendez-vous au port de Kà-ba ; c'était la saison sèche, le fleuve n'avait pas beaucoup d'eau. Les tribus de pêcheurs Somono à qui Djata avait donné le monopole de l'eau tenaient à remercier le fils de Sogolon ; ils placèrent toutes les pirogues côte à côte en travers du Djoliba afin que les Sofas de Soundjata puissent traverser sans se mouiller les pieds.

Quand toute l'armée fut de l'autre côté du fleuve, Soundjata ordonna de grands sacrifices, on immola cent bœufs et cent béliers, c'est ainsi que Soundjata remercia Dieu en rentrant au Manding.

Les villages du Manding firent à Maghan Soundjata un accueil sans précédent ; en temps normal un piéton fait la distance de Kà-ba-Niani en deux étapes ; le fils de Sogolon et son armée mirent 3 jours ; la route du Manding depuis le fleuve était bordée d'une double haie humaine ; accourus de tous les coins du Manding, tous les habitants voulaient voir de près le sauveur ; les femmes du Manding voulurent faire sensation et elles n'y manquèrent point : à l'entrée de chaque village, elles avaient tapissé la route avec leurs pagnes multicolores afin que le cheval de Djata ne se salisse point les pieds en entrant dans leur village; à la sortie des villages, les enfants, tenant en main des branches feuillues, saluaient Djata par des « Wassa Wassa... Ayé... ».

Soundjata marchait en tête, il avait revêtu ses habits de roi chasseur, simple blouse, pantalon collant, arc en bandoulière; à ses côtés Balla Fasséké portait encore ses habits de fête rutilants d'or; entre l'état-major de Djata et l'armée on avait placé Sosso-Balla au milieu des fétiches de son père, il n'avait plus les mains liées; comme à Kà-ba, partout on le couvrait d'injures, le prisonnier n'osait lever les yeux sur la foule hostile; certaines personnes toujours prêtes à s'apitoyer disaient entre elles :

— Comme la fortune tient à peu de chose!

— Oui, le jour où l'on est heureux est aussi celui où on est le plus malheureux, car, dans le bonheur on n'imagine pas ce que c'est que la souffrance.

Les troupes marchaient en chantant l'hymne à l'Arc que la foule reprenait. De nouvelles chansons volaient de bouche en bouche; les jeunes filles offraient de l'eau fraîche et des noix de kola aux soldats et c'est ainsi que la marche triomphale à travers le Manding se termina devant Niani, la ville de Soundjata.

C'était une ville en ruines que ses habitants commençaient à relever; une partie des remparts avait été détruite; les murs calcinés portaient encore la trace de l'incendie; du haut de la colline, Djata regarda Niani qui ressemblait à une ville morte, il vit la plaine de Sounkarani, il vit aussi la place du jeune baobab; les survivants de la catastrophe se tenaient rangés sur la route du Manding, les enfants agitaient des branches, quelques jeunes filles chantaient, mais les adultes étaient sans parole.

— Sois heureux, dit Balla Fassèké ; toi tu auras le bonheur de relever Niani, la ville de tes pères, mais plus jamais personne ne relèvera Sosso de ses ruines ; les hommes perdront jusqu'au souvenir de l'emplacement de la ville de Soumaoro.

Avec Soundjata la paix et le bonheur entrèrent à Niani ; amoureusement le fils de Sogolon fit reconstruire sa ville natale ; il restaura à l'antique la vieille enceinte de son père où il avait grandi ; de tous les villages du Manding des gens venaient s'installer à Niani ; on dut détruire les murs pour agrandir la ville, on construisit de nouveaux quartiers pour chaque peuple de l'immense armée.

Soundjata avait laissé son frère Manding Bory à Bagadou-Djeliba sur le fleuve ; il était le Kan-Koro Sigui de Soundjata, c'est-à-dire le Vice-Mansa ; Manding Bory surveillait tous les pays conquis ; quand se termina la reconstruction de la capitale, il alla guerroyer vers le sud pour effrayer les peuples de la forêt ; il reçut une ambassade du pays de Sangaran où quelques tribus de Kondé s'étaient installées ; bien que celles-ci ne fussent pas représentées à Kouroukan Fougan, Soundjata leur accorda son alliance et elles furent placées sur le même pied que les Kondé du pays de Do.

Au bout d'un an Soundjata tint une nouvelle assemblée à Niani, mais celle-ci était l'assemblée des notables et des rois de l'empire ; les rois et les notables de toutes les tribus se rendirent à Niani ; les rois parlèrent de leur administration, les notables parlèrent des rois. Fakoli, le neveu de Soumaoro, s'étant montré trop indépendant, dut s'enfuir pour éviter la colère du Mansa, ses terres furent confisquées, les impôts de Sosso furent directement versés aux greniers de Niani ; ainsi chaque année, Soundjata réunissait autour de lui les rois et les notables, ainsi la justice régnait partout car les rois avaient peur d'être dénoncés à Niani.

La justice de Djata n'épargnait personne ; il suivait la parole de Dieu même ; il protégeait le faible contre le puissant ; les gens faisaient plusieurs jours de marche pour venir lui demander justice. Sous son soleil le juste a été récompensé, le méchant a été puni.

Dans la paix retrouvée, les villages connaissaient la prospérité car avec Soundjata le bonheur était entré chez tout le monde ; de vastes champs de mil, de riz, de coton, d'indigo, de fonio entouraient les villages ; celui qui travaillait avait toujours de quoi vivre. Chaque année de longues caravanes portaient le « Moudé » (1) à Niani. On pouvait aller d'un village à l'autre sans crainte du brigand : on coupait la main droite au voleur, s'il recommençait, on le mettait au fer.

De nouveaux villages, de nouvelles villes naissaient dans le Manding et ailleurs ; les Dioulas,

---

(1) *Moudé*. — Déformation malinké du mot arabe « Mudd » qui veut dire mesure pour les céréales. C'est la mesure légale fixée par le prophète. Comme l'impôt était payé en nature, on comptait par « Mudd », finalement le terme désigna l'impôt tout court. Le mudd de riz pesait 10 à 15 kg. (Contenu d'un panier de riz.)

ou commerçants, devinrent nombreux ; sous le règne de Djata le monde a connu le bonheur.

Il y a des rois qui sont puissants par leur force militaire ; tout le monde tremble devant eux. Mais quand ils meurent on ne dit que du mal d'eux ; d'autres ne font ni bien, ni mal ; quand ils meurent on les oublie. D'autres sont craints car ils ont la force, mais ils savent l'utiliser et on les aime parce qu'ils aiment la justice ; Soundjata appartint à ce groupe. On le craignait, mais on l'aimait aussi. Il a été le père du Manding, il a donné la paix au monde. Après lui le monde n'a pas connu de plus grand conquérant car il était le septième et dernier conquérant.

Du petit village paternel il avait fait la capitale d'un Empire ; Niani était devenu le nombril de la terre ; dans les terres les plus éloignées on parlait de Niani et les étrangers disaient : « A beau mentir qui vient du Manding », car le Manding était un pays lointain pour beaucoup de peuples.

Les griots, beaux parleurs, pour vanter Niani et le Manding disaient :

— Si tu veux du sel, va à Niani, car Niani est le campement des caravanes du Sahel.

» Si tu veux de l'or va à Niani, car, Bouré, Bambougou et Wagadou travaillent pour Niani.

» Si tu veux de beaux tissus, va à Niani, car la route de la Mecque passe à Niani.

» Si tu veux du poisson, va à Niani, c'est là que les pêcheurs de Maouti et de Djéné viennent vendre leur prise.

» Si tu veux de la viande, va à Niani, le pays des grands chasseurs est aussi le pays du bœuf et du mouton.

» Si tu veux voir une armée, va à Niani, car c'est là que se trouvent les forces réunies du Manding.

» Si tu veux voir un grand roi, va à Niani, c'est là que réside le fils de Sogolon, l'homme aux deux noms. »

C'était ce que chantaient les maîtres de la parole.

Parmi les grandes villes de l'empire, je dois citer Kita ; la ville de l'eau bénite qui est devenue la seconde capitale des Kéita.

Je citerai Tabon la disparue, la ville aux portes de fer ; je n'oublierai pas Do, ni Kri, la patrie de Sogolon la femme-buffle.

Je citerai aussi Koukouba, Batamba et Kambasiga, les villes de Sofas ; je citerai la ville de Diaghan, Mema la ville de l'hospitalité, et Wagadou où régnait la descendance de Djoulou Karo Naïni.

Que de ruines entassées, que de villes disparues ! Que de solitudes peuplées par l'esprit des grands rois !

Les fromagers et les baobabs solitaires que tu vois au Manding sont les seules traces des villes disparues.

LE MANDING ÉTERNEL

Que de ruines amassées, que de grandeurs
ensevelies ; mais les faits dont j'ai parlé se sont
passés il y a très longtemps et tout ceci a eu
pour théâtre le Manding ; les rois ont succédé
aux rois, le Manding est toujours resté le même.

Le Manding garde jalousement ses secrets ;
il est des choses que le profane ignorera toujours
car les griots, leurs dépositaires, ne les livre-
ront jamais : Maghan Soundjata, dernier conquérant de la terre, repose non loin de Niani-Niani
à Balandougou, la cité du barrage (1).

Après lui, bien des rois, bien des Mansas ont
régné au Manding, d'autres villes sont nées et

(1) Ici Djeli Mamoudou Kouyaté n'a pas voulu aller
plus loin. Cependant plusieurs récits courent sur la fin de
Soundjata.

Delafosse fait cas de deux récits : le premier dit que
Soundjata fut tué d'une flèche au cours d'une manifestation
publique à Niani. Le second, très populaire au Manding,
est rendu vraisemblable par la présence du tombeau de
Djata près du Sankarani : selon le second récit donc, Soundjata se serait noyé dans le Sankarani et il aurait été enterré
près des lieux mêmes où il se serait noyé.

J'ai entendu cette dernière version de la bouche de plusieurs traditionalistes ; à la suite de quelles circonstances
Djata trouva-t-il la mort dans les eaux ? Voilà la question
à laquelle il faudrait trouver une réponse.

ont disparu ; Hidji Mansa Moussa, de mémoire illustre, aimé de Dieu, a construit à la Mecque des Maisons pour les pèlerins du Manding, mais les villes qu'il fonda ont toutes disparu : Karanina, Djèdjèfé, Bouroun-Kouna, plus rien ne reste de ces villes. D'autres rois ont porté le Manding bien loin des frontières de Djata, Mansa Samanka, Fadima Moussa, mais aucun d'eux n'approcha Djata (2).

Maghan Soundjata fut unique. De son temps personne ne l'égala ; après lui personne n'eut l'ambition de le surpasser. Il a marqué pour toujours le Manding, ses « *dio* » (3) guident encore les hommes dans leur conduite.

Le Manding est éternel.

Pour te convaincre de ce que j'ai dit, va au Manding : tu trouveras à Tigan la forêt chère à Soundjata ; tu y verras le protège-poitrine de Fakoli Koroma ; va à Kirikoroni près de Niassola, tu y verras un arbre qui perpétue le passage de Soundjata dans ces lieux. Va à Bankoumana sur le Djoliba, tu y verras le balafon de Soumaoro, le balafon qu'on appelle Bala-gnintiri ; va à Kà-ba, tu verras la clairière de Kouroukan Fougan où se tint la grande assemblée qui donna une constitution à l'empire de Soundjata ; va à Kirina près de Kà-ba, tu y verras l'oiseau qui annonça le fin à Soumaoro ; tu trouveras à Keyla près de

(2) Djeli Mamadou Kouyaté cite ici plusieurs rois du Manding ; Hidji Mansa Moussa n'est autre que le célèbre Kankou Moussa (1307-1332), rendu à jamais illustre par le fameux pèlerinage de 1325 (voir D. É. S. : Le roi du pèlerinage). La tradition du Dioma attribue à Kankou Moussa la fondation de plusieurs villes aujourd'hui disparues.

(3) *Dio*. — Le dio est un interdit posé par un ancêtre, le terme désigne également les fétiches.

Kà-ba les tambours royaux de Djolofin Mansa, roi du Sénégal que Djata a battu. Mais malheureux, n'essaye point de percer le mystère que le Manding te cache ; ne va point déranger les esprits dans leur repos éternel ; ne va point dans les villes mortes interroger le passé, car les esprits ne pardonnent jamais : ne cherche point à connaître ce qui n'est point à connaître.

*
* *

Hommes d'aujourd'hui, que vous êtes petits à côté de vos ancêtres, et petits par l'esprit car vous avez peine à saisir le sens de mes paroles. Soundjata repose près de Niani-Niani, mais son esprit vit toujours et les Kéita, aujourd'hui encore, viennent s'incliner devant la pierre sous laquelle repose le père du Manding.

*
* *

Pour acquérir ma science j'ai fait le tour du Manding ; à Kita j'ai vu la montagne où dort le lac aux eaux bénites, à Segou, j'ai appris l'histoire des rois de Do et de Kri ; à Fadama, dans le Hamana, j'ai écouté les griots Kondé raconter comment les Kéita, les Kondé et les Kamara ont fait la conquête de Wouroula (4). A Keyla, village

(4) Les griots traditionalistes voyagent beaucoup avant d'être « Belen-Tigui », ce qui veut dire « Maître de la parole » en malinké. Cette expression est formée de « Bélen » qui est le nom du tronc de bois planté au milieu de la place publique et sur lequel s'appuie l'orateur qui s'adresse à la foule, « Tigui » veut dire Maître de. Il y a plusieurs centres fameux pour l'étude de l'Histoire : Fadama dans le Hamana

des grands maîtres, j'ai appris les origines du Manding, là j'ai appris l'art de la parole. Partout j'ai pu voir et comprendre ce que mes maîtres m'enseignaient, entre leurs mains j'ai prêté serment d'enseigner ce qui est à enseigner et de taire ce qui est à taire.

(Kouroussa) sur le Niandan en face de Baro situé sur la rive droite; mais surtout Keyla, la ville des Traditionalistes; Diabaté, près de Kangaba (Kà-ba) (Soudan).

Mamoudou Kouyaté est du village de Djeliba Koro dans le Dioma (Sud de Siguiri) province habitée par des Kéita qui sont venus du Kita à la fin du xive siècle, début xve siècle (Voir mon Diplôme d'Études Supérieures).

TABLE DES MATIÈRES

Achevé d'imprimer en août 1994
sur les presses de l'Imprimerie Bussière
à Saint-Amand (Cher)

— N° d'imp. 2114. —
Premier dépôt légal : 2e trimestre 1971.
Imprimé en France